CURIADAU

Cyhoeddiadau
barddas

Gair am y Cynnwys

Mae nifer o ddarnau'r gyfrol yn ymdrin â themâu sensitif a all beri gofid.

Argraffiad cyntaf: 2023

ISBN: 978-1-911584-74-2

Cydnabyddir darnau sydd eisoes wedi eu cyhoeddi yn y Cydnabyddiaethau.

Cyhoeddwyd gyda chymorth ariannol Cyngor Llyfrau Cymru.

Cyhoeddwyd gan Gyhoeddiadau Barddas.

www.barddas.cymru

Gwaith celf y clawr: Gruffydd Siôn Ywain.

Dylunio a Chysodi: Gruffydd Siôn Ywain.

Darparir y delweddau gwreiddiol gan Llyfrgell Genedlaethol Cymru.

Argraffwyd gan Wasg Gomer, Llandysul.

Diolchiadau

Prin fod 'diolch' yn cyfleu'r hyn dwi'n ei deimlo tuag at bawb sydd wedi bod ynghlwm â thaith creu'r gyfrol yma, ond dyma'r gair agosaf sydd gen i. Diolch o waelod calon i bawb am y gefnogaeth, yr anogaeth, a'r ysbrydoliaeth barhaus wrth i *Curiadau* godi'n gresiendo a chyrraedd dwylo darllenwyr.

Diolch i holl aelodau a ffrindiau Llyfrau Lliwgar, y clwb llyfrau LHDTC+ Cymraeg a ddechreuodd ei oes ym Mangor fis Medi 2021, ac sydd bellach â changen yng Nghaerdydd hefyd. Mae'r gwmnïaeth a'r gyfeillgarwch rydw i wedi'u profi drwy'r clwb, a'r fforwm, wedi bod yn enfawr. Yn wir, aelodau Llyfrau Lliwgar Bangor ysgogodd y syniad am y gyfrol yma. Diolch ichi gyd!

Mi hoffwn ddiolch i Barddas am dderbyn y syniad cychwynnol a dod â blodeugerdd o lenyddiaeth LHDTC+ Gymraeg i fod — yn enwedig, felly, Alaw Mai Edwards ac Alaw Griffiths. Roedd brwdfrydedd y ddwy yn arbennig, ac wrth i'r gyfrol ddatblygu, bu Elinor Wyn Reynolds yn ysgogydd gwych, a Bethany Celyn yn gydlynydd cefnogol ac anogol iawn. Diolch ichi!

Diolch i'r Cyngor Llyfrau am y nawdd i gyhoeddi'r gwaith ac am ddangos bod buddsoddiad o'r fath yn bosib i bob llais sy'n ysgrifennu drwy gyfrwng y Gymraeg.

Diolch i'r gwahanol weisg am gael cynnwys gweithiau cyhoeddedig yn y gyfrol yma a diolch o galon i Gruffydd Siôn Ywain am ddylunio'r cyfan. Mae'r gwaith mae Gruff wedi'i wneud yn eithriadol iawn — yn drawiadol, yn chwareus, yn arbrofol, ac yn sensitif.

Diolch i bawb sydd ynghlwm wrth Paned o Gê, ac i Dan (Daniel Huw Bowen) yn benodol, a Gwyn Siôn Ifan, Awen Meirion, am eu cefnogaeth anfesuradwy.

Diolch i bawb a fynychodd yr Encil Sgwenwyr LHDTC+ yn Nhŷ Newydd, Llanystumdwy, am benwythnos ym mis Tachwedd 2022. Roedd hi'n fraint wirioneddol cael treulio tridiau yn eich cwmni'n trafod hunaniaethau, sgwennu, creu, a sŵps! A chael cynnwys gweithiau llawer ohonoch yn y gyfrol yma. Diolch hefyd i'r ysgogwyr creadigol gwadd, Bethan Marlow, Elgan Rhys, a Llŷr Titus, ac i Megan Angharad Hunter am siarad am ei phrofiad llenyddol. Felly hefyd, diolch o galon i fudiad Llenyddiaeth Cymru a Chanolfan Ysgrifennu Tŷ Newydd am y gefnogaeth i'r gyfrol a Llyfrau Lliwgar, ac, yn arbennig, i Leusa Llewelyn, am ei brwdfrydedd difesur.

A'r diolch olaf, os nad y pwysicaf, i'r cyfranwyr i gyd. Boed drwy ateb i neges gen i'n gofyn am ddarn, neu'n ymateb i'r alwad agored am gyfraniadau yn y cyfryngau cymdeithasol, mi ges i'r fraint o gydweithio â chriw o sgwenwyr arbennig ac ysbrydoledig. Yn bendant, dwi wedi cael modd i fyw yn darllen eu geiriau gan ryfeddu'n gyson at eu gwaith gwiw. Diolch o galon ichi gyd.

CYNNWYS

Rhagair: O'r cur i'r curiadau

Curiad; dau; mwy. Curiadau'n cydio; yn deffro; yn brifo; yn hidlo profiadau amrywiol drwy'n dyddiau. Bu curiadau o'r fath ers cyn co', ond eu bod wedi eu cuddio, wedi eu cadw'n ddistaw. Nid yn dawel, ond yn ddistaw, ddistaw, fud. Yn synau na ddylid eu clywed. Yn guriadau a oedd yn bygwth difetha alawon amryw ganeuon. Gwell nadu'r curiadau hynny, siŵr iawn. A, gyda hynny, mi brofwyd aml gur, gan greu cleisiau o bob lliw a siâp, yn enfys o gywilydd ar groen. Sawl ergyd, sawl stid, sawl ymosodiad corfforol a geiriol a fu, ac sy'n dal i fod. Ond mae curiadau gwahanol i'r confensiynau 'cymdeithasol, heteronormaidd' wedi bod erioed, ac yn parhau er gwaethaf yr aml gur corfforol, geiriol, a meddyliol. Maen nhw'n codi'n guriadau cadarnach sy'n mynegi — ac yn dathlu — yr hawl hwnnw i fod, a'r ffaith honno fod ein calonnau'n curo fel pob enaid byw.

Dyna oedd wrth wraidd llunio'r gyfrol yma, y flodeugerdd gyntaf o lenyddiaeth LHDTC+ yn y Gymraeg, a'r gyntaf, dwi'n grediniol, o nifer fwy yn y dyfodol. Mae lleisiau LHDTC+ wedi bodoli mewn llenyddiaeth Gymraeg ers tro, ond yn eithaf cuddiedig am sawl rheswm, gan gynnwys beirniadaeth gymdeithasol, ideolegau amrywiol, a rhagfarnau niweidiol. Mae lleisiau LHDTC+ Cymraeg yn bod a'u caneuon creadigol yn dod yn fwy amlwg; ond a oes digon o gynrychiolaeth? A oes yna adlewyrchiad teg o'r amrywiaeth yn ein cymdeithas? Mae'n bosib mai 'na' fyddai'r ateb, ond dyna'n wir pam fod angen cyfrol fel *Curiadau*. Dyma lyfr sy'n rhoi llwyfan i'r prism o leisiau sy'n gweu drwy'r Gymraeg, a gofod i'r sawl sydd heb gyhoeddi eu gwaith o'r blaen oherwydd y teimlad nad oedd yna blatfform penodol a oedd yn eu gweddu.

Bwriad y flodeugerdd yma yn y bôn ydi dangos y cyfoeth o brofiadau, straeon, safbwyntiau a hanesion sy'n ffrydio drwy'n cymdeithas a gyda hynny herio unrhyw ganon llenyddol Cymraeg i sicrhau bod cynrychiolaeth a chynwysoldeb o'r fath yn ei hanfodi. Roedd yn hen bryd tynnu sylw at y curiadau hynny sydd yn canu yn ein cymdeithas, sydd tu hwnt i'r alawon heteronormaidd, ac sydd yn ingol o amrwd i'w clywed. A dyna nod y casgliad yma. Drwy gynnwys gwaith sgwenwyr o bob cwr o Gymru a thu hwnt, o wahanol gefnidroedd cymdeithasol, diwylliannol, rhywiaethol, o wahanol brofiadau sgwennu, ac o amrywiaeth o lefelau hyfedredd y Gymraeg, y bwriad ydi adlewyrchu, i ryw raddau, y fath amrywiaeth sy'n bod o fewn llenyddiaeth Gymraeg LHDTC+.

Ar y tudalennau sy'n dilyn, mae ystod eang o brofiadau hynod deimladol yn cael eu mynegi'n onest. Mae yma waith hunangofiannol, ffeithiol a ffuglennol; yn ddarnau eithriadol sy'n ymdrin ag amryw themâu, gan gynnwys 'dod allan', hunan-ddelweddau o fewn cymunedau cwiyr, perthnasau amrywiol, treiglad amser, a theithiau i ddarganfod hunaniaethau, a'u derbyn. O glywed y curiadau amrywiol yma sy'n drawiadau cyson drwy'r gyfrol, bydd modd hyrwyddo cynwysoldeb a dathlu amrywiaeth drwy gyfrwng llên. Gyda'r llyfr yma, bydd pobl yn gallu darllen y darnau niferus, boed nhw yn LHDTC+ neu beidio, ac yn gallu gwerthfawrogi'r profiadau, yr emosiynau, a'r straeon sydd mewn difri yn berthnasol i bawb. A gyda *Curiadau*, bydd modd ysgogi mwy o guriadau gwych i godi a chyfrannu at y gân bolyffinog yna, y gân LHDTC+ Gymraeg, sy'n lliwio rhannau cynyddol o'n llenyddiaeth gyfoes.

Braint wirioneddol oedd cael dwyn y flodeugerdd yma ynghyd ac rydw i'n diolch o waelod calon i bob un am ymddiried ynof i, am fod mor barod i ddangos eu gwaith, ac am ei gynnwys yn y llyfr. Mae gan bob darn rywbeth o bwys i'w ddweud ac rydw i'n sicr y bydd y casgliad o ddarnau yn y gyfrol yma'n canu yn fy ngho' a 'nghalon am yn hir iawn.

Oes, mae yma guriad, mae yma ddau, mae yma fwy. Curiadau sy'n cydio, sy'n deffro, sy'n brifo o dro i dro, ond sydd mewn difri calon yn cyfleu profiadau cynifer, ac am hynny, yn ddarnau o lenyddiaeth y gall pawb eu clywed, eu hystyried, a'u gwerthfawrogi.

CRANOGWEN

Fy Ffrynd

I seren dêg dy wyneb di
     Ni welaf fi un gymhar,
Er crwydro'n hir, -yr un mor fâd
     Yn wybren gwlad y ddaear:
Mae miloedd eraill, sêr o fri,
     Yn gloewi y ffurfafen;
Edmygaf hwy, ond caraf di,
     Fy Ngwener gu, fy "Ogwen."

Ni wn y medr unrhyw iaith,
     Er bod yn berffaith ddigon,
I ddweyd, i eglurhâu, mewn rhan,
     Mor gu wyt gan fy nghalon:
Ond gwyddost ti fy nghalon oll,
     Fy chwaer, heb raid mynegu;
Deallaist lawer gwaith cyn hyn
     Mor gu 'r wyf yn dy garu.

man canol

do you talk to anyone about this?

um…
just my boyfriend.
and in Welsh.

dwi'm yn gweld be mae o'n weld.
dwi rili isio gweld be mae o'n weld.
achos mae be mae o'n weld yn swnio'n
fucking gorgeous.

ond pan dwi'n edrych ar;
edrych drwy;
edrych tuag at yr adlewyrchiad sy'
wastad 'di bod yna. pan dwi'n edrych
ar fy hun yn y drych, dwi'm yn gweld y
geiria sy' newydd ddod allan o ceg cariad
fi. di'r geiria ddim yn ffitio corff fi, fel
t-shirt 'S' o topman yn 2007, goro setlo
am 'M' tyn. pan o'dd y masculine ideal
wedi hen heintio fi'n barod.

a gyda'r haint dwi jyst ddim yn derbyn
y geiria. byth yn, rioed wedi, 'na i'm
derbyn.

ma'r geiria yn ansoddeiria sy'n goleuo
rhanna o corff fi fel ma' nhw'n dod o ceg
cariad fi.

cock.
coesa.
sgwydda.
llygid.

cock, coesa, sgwydda, eyes, sgwydda,
eyes.

na i unrhyw beth i ddistractio'n hun rhag
siarad am corff fi.

cock. *ansoddair*. coesa. *ansoddair*.
sgwydda. *ansoddair*. llygid. *ansoddair*.
ond dim ansoddair i man canol fi. ma'
man canol fi dal mewn twllwch, heb
ola'n agos. achos mae cariad fi'n gwbod i
beidio trio cyffwrdd y switsh sy'n goleuo
man canol fi. achos fydd o ddim byd mwy
na *white noise*.

y *white noise* ydy fi'n gwrthod. a dim ond
tri gair sy'n bodoli.

ddim digon da. ddim digon da. ddim
digon da.

when we've experienced rejection, we
then have a thirst for acceptance.

'na i wrthod a gwrthod ei eiria'n galad,
gwrthod mor galad nes dwi'n teimlo bo'

dim man canol.
man canol chdi sy'n cadw bob dim at ei gilydd. cadw corff chdi a brên chdi *gyda'i gilydd*, fel ma' nhw fod. craidd chdi. *core* chdi. ond be fuck ti fod i neud pan 's dim man canol?

dwi'n beio'r masculine ideal. achos ma'r masculine ideal dal yn llygru fi heddiw. yn 2023. a mi fydd o dal gwmpas yn 2024. dwi'n gwbo.

'bulging pecs. washboard abs.'

sorry, what?

bulging pecs. washboard abs.
it was all I saw, when I first introduced myself to a gay community. gay porn. I saw myself, men allowed to desire men, but yet again, I didn't see myself. bulging pecs. washboard abs. the masculine ideals were the only bodies I saw, accepted.

so it wasn't long until I set myself a challenge.
challenge accepted.

dwi 'di trio ers dwi'n cofio. ar ôl laru ar drio newid mannerisms, personoliaeth, diddordebau, dwi 'di trio a trio a trio newid

be o'n i'n meddwl o'dd yn haws, ond dwi byth 'di cyrradd y corff. ac er bo' genna i gariad sy'n derbyn fi er bo' fi heb cyrradd y corff, dwi dal i drio cyrradd y corff dwi'n ingrained i feddwl ydi'r unig un fucking gorgeous. a dwi'n gwbo dwi ddim ben fy hun, jyst sgroliwch drw Instagram neu Grindr. wedi llygru gan blocs bach balch o becs bulging a bolas perffaith. gymaint o flocs yn neud fyny, trio *dal* fyny efo'r hanes o wrthod a *cael* eu gwrthod, neud fyny, dal fyny gyda'r masculine ideal er mwyn, o'r diwedd, cael eu derbyn.

pa mor fucked up 'di hynna?

a faint o'r blocs 'na sy'n gwbod yn union be ma' nhw neud, a faint sy' heb clem ond 'di ymgolli yn toxicity diwylliant eu hunain? toxicity un diwylliant yn heintio un arall, ac un arall, ac un arall.

how do you think you'll feel when you reach where you wanna reach? with your body.

...

dwi methu atab therapydd fi, achos dwisio rhoi'r atab dwi'n obeithio fydd yn wir, sef unwaith dwi 'di cyrradd corff y dyn hoyw sydd wedi'i ddylunio mewn labordy, unwaith ma' corff fi'n union fel corff Zac Efron, ga i fy nerbyn, a 'na i dderbyn fy hun. ond, ydy hynna rili'n wir? neu fydda i dal yn rhan o côr dim *core* yn canu *ddim digon da. ddim digon da. ddim digon da.* fydda i dal yn rhan o'r côr o ddynion hoyw sy'n deud sori am corff nhw, a dim cyrff Zac Efron sy'n achosi'r soris, ma' cyrff Zac Efron hefyd yn victims y byd fucked up 'ma sy' 'di'i greu gan *the man* ar gyfer clodfori neb arall ond *the man.*

I'll probably, still, not accept myself, probably still won't see myself as, you know, as my boyfriend says, gorgeous.

ma' therapydd fi'n dawal am bach.

OK, we're gonna do an exercise — an exercise where we'll look at reconstructing your unconscious narratives, and we'll work towards a more positive conscious narrative.

a'th hwn dros fy mhen i, yn *lot* i gael fy mhen i rownd, yn *lot* i ddalld. ond o'n i'n gwbo ar ôl gwglo bod o rwbath i neud efo'r syniad o ddadwneud. I guess dyna ydi therapi? dadwneud stwff. I wish bydda pob un 'the man' yn cael eu gorfodi i neud therapi.

dwi'n edrych ar fy hun yn y drych eto heddiw a gweiddi (yn fy mhen) ar fy hun i fucking ddeffro a gweithio'n galetach i weld be mae cariad fi'n gweld.

dwi ddim yn gweld be mae o'n weld. ond dwi am drio gweld be mae o'n weld un dydd achos mae be mae o'n weld yn swnio'n fucking gorgeous.

a dwi'n gwbo bo hyn i gyd yn fy mhen a bod 'na unlimited ideals yn y byd 'ma a ma' pob un, gan gynnwys ideal fi, yn haeddu teimlo'n gorgeous.
un dydd.
geith masculine ideal fuck off.

neith neb ffindio man canol nhw efo'r masculine ideal. heblaw am, yn anffodus, 'the man', the man sy' ar dop bob man, eu man canol nhw ydi bod ar dop bob man yn gwerthu'r masculine ideal i'r byd.

dwi'n meddwl am cwestiwn nath therapydd fi ofyn:

do you talk to anyone about this?

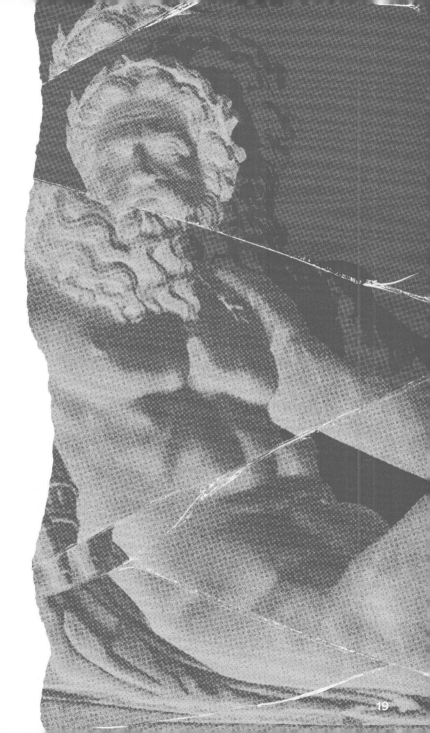

um...
my boyfriend.
and I'm writing a piece for a queer
anthology about it now, too.

ella na i dderbyn y geiria.
na i dderbyn.
ia, na i dderbyn.
dwi'n meddwl na i.
dwi ddigon da.

dwi'n teimlo man canol fi'n goleuo.

Llid y Blaidd

Ymwelais i fyth â Llid y Blaidd, ar gyrion Treffynnon, pan o'n i'n blentyn, a finnau 'di cael fy rhybuddio i beidio â mynd am mai fan'na oedd dynion drwg yn ymgynnull. Cofiaf y sôn am yr adfeilion a fu unwaith yn dŷ o drawstiau Sioraidd hardd, cyn iddo danio a llewygu, ymysg cysgod y goedwig a'r sibrydion. Ond wedyn, tre bwganod oedd Treffynnon wastad yn fy mhlentyndod, gyda'r ffynnon ar y bryn lle trigai ysbryd Santes Gwenffrewi yn cynnau straeon arswyd adeg amser cinio plant Ysgol Gwenffrwd. Ac eto, straeon Llid y Blaidd, nid y ddioddefwraig Gwenffrewi a fu'n fy nychryn i fwya. Llid y dynion drwg yn 'neud pethe peryg, a hynny'n gwneud i Dad rybuddio: 'Paid byth â mynd, fy mab, i goedwig Llid y Blaidd.'

Crwydrwn i'r goedwig honno mewn breuddwydion yn unig, ac yn yr un yma, y ddiweddara, fe'i gwelaf wedi'i rhwydo gan gochni'r hydref a'r dail wedi syrthio, a finnau'n dod o hyd i blisgyn briciau'r tŷ yn y goedwig. Yn fy mreuddwyd, trodd y tŷ'n gastell o benglogau, a'r goedwig heb adar na gwyrddni, dim bywyd o gwbl nes i'r freuddwyd bylu'n rhywbeth arall eto.

Syllaf ar y goedwig o'm fflat, a finnau nawr yn ŵr ifanc, parchus i'm cymdogion, yn gwylio'r Sadwrn yn nosi unwaith 'to. Rwy'n cynnau sigarét wrth y drws cefn ac yn gollwng y mwg. Sadwrn ar ôl Sadwrn, dacw'r dyn mewn dillad du ar y gorwel yn lleihau nes bod y goedwig yn mynd ag ef i'w thywyllwch. Rwy'n gorffen y sigarét ac yn cau'r drws cefn ac mae popeth yn tywyllu wrth i'm llygaid addasu. Ta waeth; yma ar fy mhen fy hun, mae gen i ffilm arswyd i'w gwylio, am fwystfilod sy'n trawsnewid yng ngolau'r lleuad. Rwy'n brasgamu i'r gegin ac yn arllwys gwydraid o win coch, tra'n ofni'r sŵn a wnaf efo'n sodlau ar y teils. Beth fydd y cymdogion yn ei wneud o'r sŵn hwnnw? Maen nhw'n fy 'nabod fel glaslanc teulu Davies sy'n nôl am seibiant cyn i'r coleg ail-ddechrau. Ydyn nhw'n rhoi eu clustiau at y waliau fel staff Doctor Jekyll, yn pendroni beth ddigwyddodd i mi?

Y diwrnod wedyn, rwy'n sefyll wrth y drws cefn ac yn sylwi bod cymydog hefyd yn ysmygu wrth ei drws cefn hi. Wedi trawsnewid ydwyf yng ngolau'r dydd, i wisgo sgert ysgafn a thop tyn, gan flasu'r haul ar fy nghroen llyfn, ond, o ganlyniad, ni allaf sefyll yn llawn yn ngolau'r haul. Os safaf yn y goleuni, bydd y cymydog yn fy ngweld, yr awel yn bygwth chwythu fy sgert hir ysgafn i'r awyr agored. Tybed a yw hi'n gwylio, wrth i mi ollwng y mwg, fy mraich ymledol, a'r llaw yn dal y sigarét, efo'r llwydni'n dod o bâr o wefusau, ond dim byd mwy? Ydy hi'n meddwl fod y glaslanc drws nesa'n agoraffobig? Rhywun yn ofni golau dydd, neu efallai ei bod hi'n gweld digon o'r sgert drwy'r drws i roi dau wrth ddau cyn sôn wrth ei ffrindiau am y freak yn y fflat drws nesaf.

Diwrnod arall i mi wrth y drws cefn efo sigarét arall yn tybied nad yw'r cymydog yno, ond alla i ddim cymryd risg, rhag ofn. Wrth i mi ysmygu, gwelaf ar y goeden golomen sy'n chwilio am y gath. Os daw'r gath, bydd yr adar yn hedfan. Os gwelaf gymydog, byddaf yn cilio i dywyllwch fy fflat, ddim yn annhebyg i'r adar, er bod ganddyn nhw'r awyr i ddianc iddi, tra mai dim ond y fflat sydd gen i.

Daw nos Sadwrn arall, ond ddim ffilm bwystfil i mi y tro 'ma. Mae fy fflat yn wag ac yn dywyll. Mae'r cymdogion yn cael eu barbeciws, eu chwerthin yn cario yn yr awel.

Awel sy'n treiddio trwy'r cyfnos i'r goedwig, i'r coed derw cryf, a'u carpedi gwyrdd yn gymysg â fioled a chennin Pedr, clychau porffor y ffacbysen, a phurdeb yr eirlys, wrth i'r adar ganu a'r gwiwerod sgwrsio, a'r haul fachludo.

Mae hi'n nos wrth i'r dyn mewn dillad du gerdded tua'r goedwig. Yn y goedwig rwyf i, yn newid o dan y lleuad lawn: finnau, nawr, â chrychni arian a llygaid mawr i weld yn well, a gwefusau'n goch fel gwaed. Ac wrth i'm gwir ffurf orffen ei thrawsnewidiad, gwelaf y dyn rhwng y boncyffion a'r canghennau yn cerdded heibio. Mae'n ddigon tywyll yma fel nad yw'n fy ngweld, yn ddigon tywyll i mi ddilyn ei drywydd ag arogl mwsg ei eillio, nes ei fod wrth y plisg o frigau ac yn tynnu ar ei sigarét, yn aros. Nid yw ar ei ben ei hun, rwy'n synhwyro cysgodion pobl eraill, yn fy ngwylio wrth i mi stelcian tuag ato.

Mae o'n clywed fy nghamau. Mewn esgidiau swêd hir, du, rwy'n nesáu, yn sathru brigau a gwair oddi tanaf i'w weld yn gwenu wrth imi ddod tuag ato, nes mod i fodfeddi oddi wrtho. Gallai e 'nghuro fi nawr, gan fy ngadael i farw, ac ni fyddai angen i'r byd wybod na gofalu dim, ond mae'r dyn mewn dillad du yn dweud fy mod i'n brydferth.

'Dangosa i mi,' meddaf, wrth i'w ddwylo fynd at fy ngwddf ac yna at fy ngwasg, a ninnau'n dechrau cusanu, ac, o'r diwedd, rwy'n teimlo'n brydferth.

Mae'n mynd â fi gerfydd fy llaw at slab o goncrit mwsoglyd yng ngolau'r lleuad, ac yn ystod y noson hon, byddem fel yr ydym yn y goedwig, yng nghanol y gwylltineb a'r adfeilion tŷ a losgwyd gan griw, tybiwn i, am iddo roi lloches i bobl fel ni. Ac yn awr, rwyf yn credu mai caru, nid dychryn, yw'r ddewiniaeth sy'n ein cysylltu ni, ac efallai nad oes yno'r fath bethau â bwystfilod. Dim ond gweithredoedd. Fel dwylo tyner y dyn hwn a'i guriad calon a deimlaf yn fy erbyn.

Ar doriad gwawr, cerddaf nôl ar fy mhen fy hun o Lid y Blaidd, gydag atgofion wedi dwyn o dan olau'r lleuad. Dyma fi, wastad eisiau mwy. Pan ry'ch chi'n byw mewn cawell, ry'ch chi bob amser eisiau mwy, o deimlo'r golau a'r glesni a'r awel ar eich croen. Ac rwy'n meddwl, tybed, a oedd heno yn rhyddid neu 'mond yn gawell wedi'i hehangu?

GWYNFOR DAFYDD

Olion
(detholiad)

Cofio cerdded y strydoedd hyn yn grwt
ar ôl i'r bws ysgol na arhosodd
ddiflannu'n floedd lawr yr hewl,
yn llusgo siant y plant tua'r gorwel pell…

Heno, mae hynny'n rhwydd i'r glust,
a'r cnepyn aur sy'n falm ar fys
yn gylch mwy cyflawn na rhaff

achos heno, caf wrido'n saff yn dy law
a hongian fy ngwarth ar goeden well
i'r lleuad difraw gael gweld

na ddigwyddodd heno ar hap,
bod ddoe yn gwaedu yng ngharchar ein cariad
a'i fwledi'n ymdroi rhwng nos a dydd…

you're-a-poof-you're-a-poof-you're-a-poof

Ond mae'r crwtyn bach fu'n methu dod mas
yn dal i fod yma yn rhywle,
yn aros am rywbeth ger yr orsaf fysie,
yn trio ffeindio'i ffordd 'nôl adre.

Dal
(detholiad)

Aeth Carl ati i godi'r tegell. Gorfododd Richard i wneud lle iddo wrth y sinc er mwyn ei lenwi. Wedi rhoi'r caead yn ôl arno a'i gysylltu â'r cyflenwad trydan, bachodd Carl ei fys yn nhrôns y dyn arall a'i dynnu.

'Gad lonydd,' bytheiriodd Richard, oedd yn canolbwyntio ar ei eillio.

'Rwyt ti'n ddoniol,' eglurodd Carl. 'Do'n i heb sylweddoli o'r blaen taw *boxer shorts* fyddi di'n 'u gwisgo.'

'Y tro cynta iti'u gweld nhw, siŵr o fod,' atebodd Richard. 'Chadwes i mohonyn nhw 'mla'n y troeon cynt, do fe?'

'Na,' cytunodd Carl yn freuddwydiol. Cafodd gais i nôl pâr glân o ddrôr y cyfeiriodd Richard ef ato. Cyflawnodd y dasg yn ddiymdroi a newidiwyd y dilledyn yr oedd Richard wedi cysgu ynddo am un glân.

'Lot o ddillad brwnt 'da ti,' ebe Carl yn gynhyrfus wrth ychwanegu'r trôns at y domen yn y fasged blastig. 'Allen i fynd i'r *launderette* i ti heddi os ti moyn.'

'Hei! Paid â meddwl bod ti'n ca'l dy dra'd dan bwrdd fan hyn, gwd boi,' oedd yr ymateb i'w gynnig. 'Er 'mod i'n gallu gweld y gwnei di wraig tŷ dda i rywun.'

'Paid â neud hwyl am 'y mhen i drwy'r amser.'

'Wy'n trial dy helpu di. A nid diwrnod mynd i'r *launderette* yw hi heddi—nid i ti ta beth. Wyt ti ddim yn meddwl 'i bod hi'n bryd iti feddwl am fynd sha thre?

'Beth ffyc wyt ti'n meddwl o'dd yn mynd trwy 'mhen i yn y tŷ bach 'na gynne, 'blaw gofidio am Dad?'

'Ti'n cachu trwy dy ben hyd y gwn i, boi. 'Sdim lot o sens yn dod mas ohono fe, wy'n gwybod 'yn.'

'Meddwl o'n i, reit?' Llenwai'i ysgyfaint a llosgai'i lygaid drachefn. Mygodd ei sterics. Gwyddai taw dim ond mwy o wawd a ddôi i'w ran. 'Wy'n ofan.'

'Ofan beth nawr?' Tynerodd ei lais. Ôl gwên yn ei lygaid. Ôl tywydd ar ei groen. Un garw oedd Richard ar lawer golwg. Llwyddasai i wisgo'i jîns gwaith a'i grys ar ôl eillio. A 'molchi. A rhoi'i sgidiau trymion am ei draed. Roedd amser yn brin.

'Mynd adre. Beth wedith 'y nhad i? Beth 'se fe'n towlu fi mas? Mae e wedi bygwth o'r bla'n.'
'Peth gore alle ddigwydd i ti,' atebodd Richard yn bendant. 'Ti'n ugen o'd, wyt ti ddim? Hen bryd iti sefyll ar dy dra'd dy hunan. Wy wedi gweud wrthot ti o'r bla'n am ffeindio lle i fyw bant o'r cwm 'na.'

'Lle bach net 'da ti fan hyn.'

'Twll yw hwn, Carl! Wyt ti ddim yn gwbod y gwahaniaeth rhwng cartre deche a thwll? Beth licsen i neud yw codi tŷ yn hunan yn rhywle. Fe wna i pan lwydda i i sefydlu'r cwmni 'na ar ben yn hunan. Dwi ddim yn bwriadu byw yn y *shit hole* hyn am byth.'

Na, gallai Carl weld hynny, o feddwl. Aeth draw at y tegell a'r mygiau a'r bagiau te. Nid oedd modd dianc mewn ystafell mor fechan. Byddai, wrth gwrs, yn amhosibl i ddau fyw mewn lle mor gyfyng. Llosgai'r chwerwder a deimlai tuag ato'i hun yn hallt o'i fewn. Am iddo roi swcwr i'r fath ffantasi wirion.

Ond bu hithau'n gynhaliaeth yn y nos. Noson ddua'i fywyd. Ond na, doedd hynny chwaith ddim yn wir. Roedd y noson y bu Mam farw yn waeth na hyn. A hyd yn oed marwolaeth Anti Edith y llynedd.

Rhaid fod galar yn achosi mwy o ddolur na chrechwen plismyn! Wrth gwrs ei fod e.

Estynnodd fŵg i Richard. Hwn oed yr unig ffrind o fath yn y byd a feddai. Dim ond tad oedd ganddo lan y cwm, nid cyfeillion. Aethai cyfoedion cyfeillgar dyddiau ysgol i ffwrdd o'r pentre am eu bod nhw i gyd yn fwy peniog nag ef. Dim ond y di-waith a'r difater oedd ar ôl.

'Arian 'da ti i godi tocyn?'

'Oes,' atebodd o'r pydew.

'Cofia ffonio'r llinell gymorth 'na,' siarsiodd Richard wedyn, gan ei gyfeirio at gopi o *Gay Times* oedd yn cuddio o dan y gwely. 'Ac os daw hi i'r gwaetha a bod dy dad yn dy dowlu di mas, paid â chysgu'n ryff rownd y dre 'ma, dere nôl fan hyn. Wyt ti'n gwrando arna i?'

Roedd Carl wedi gwrando. Aeth y rhuthr heibio gydag ymadawiad Richard. Gadawodd ei fŵg yn hanner llawn ar ganol y bwrdd. Gadawodd hefyd orchmynion ar iddo olchi'r llestri a chymhennu cyn tynnu'r drws yn sownd ar ei ôl.

Ôl-dywyniad

Ar ddiwedd y parti, rwyt ti'n straglan:
mae dy gefn at y tŷ sy'n llawn golau canhwyllau,
mae ein cysgodion yn dal i ddawnsio'n ysgafn ar y waliau.
Mae dy ruddiau sy'n wrid yn cydweddu pinc
tyner dy siwmper cashmir.
Mae dy lygaid ar fy rhai i, yn ddisgwylgar.
Rwy'n oedi.
Mae'r foment yn pasio.

Atgof

Gobeithio y caf i rywfaint o oddefgarwch gyda'r nodiadau hyn; cywair atgofus fydd yn eu hydreiddio. Yn ein trigeiniau, mae'n debyg bod tuedd i edrych yn ôl a hel atgofion yn anochel. Wrth feddwl am bobl hoyw ac LHDTC+ yn gyffredinol, gwelaf fy mod wedi byw trwy gyfnod pwysig yn ein hanes, yn ystod yr hyn, mae newidiadau rhyfeddol wedi digwydd a'n bod wedi cymryd camau aruthrol tuag at ryddid.

Yn f'arddegau oeddwn i pan newidiwyd y gyfraith ynghylch 'gweithredoedd rhywiol' rhwng dau ddyn. Cyn hynny, roedd y cyfryw bethau yn gwbl anghyfreithlon. Nid bod y ddeddf newydd yn gwneud fawr o wahaniaeth i mi, dim ond i ddynion dros un ar hugain oed. Roeddwn i'n dal i fod yn yr ysgol, wrth gwrs, a phrin bod unrhyw oedolyn yn meiddio trafod rhywioldeb heb sôn am grybwyll cyfunrhywiaeth. Ni châi'r peth mo'i gydnabod, ac felly, i bob pwrpas, doedd y peth ddim yn bod. Afraid dweud, gwyddem am ddynion a bechgyn 'merchetaidd' ond — a mae hyn yn anodd credu nawr — roedd yna ryw naïfrwydd yn perthyn i'n dealltwriaeth anghyflawn. Gwrandawai fy nhad, er enghraifft, ar y rhaglen *Round the Horn* ar y radio, gyda miloedd o bobl eraill mae'n debyg, heb ddeall bod Jules a Sandy yn fechgyn 'hoyw' (rhaid cofio, ar y pryd, doedd dim cylchrediad eang i'r gair 'hoyw' gyda'r ystyr yma chwaith). Chwarddai fy nhad ar yr act gyda rhyw ddiniweidrwydd, er ei fod yn ddyn homoffobig iawn. A phan ddaeth y pianydd, Liberace, i Lundain ac ymddangos ar y teledu, er gwaetha'r holl blu a ffwr a gemwaith yn y lliwiau mwya llachar, prin bod neb yn amgyffred y ffaith ei fod yn ddyn 'hoyw'. Soniai ef am filoedd o fenywod yn cynnig ei briodi, ac yn wir, menywod oedd yn arfer prynu'i recordiau a thyrru i'w sioeau. A phan ryfygodd newyddiadurwr awgrymu ei fod yn 'hoyw' (heb ddefnyddio'r gair, yn wir, ni fyddai wedi dewis y gair hwn'na ar y pryd), aeth Liberace ag ef i'r llys am enllib ac ennill yr achos!

Gwisgai Danny la Rue fel 'menyw', ond yn ystod pob perfformiad, âi i gryn drafferth i atgoffa'i gynulleidfa ei fod yn ddyn heterorywiol (doedd e ddim yn ddyn heterorywiol, mewn gwirionedd, bid a fo am hynny), a gwnâi hynny dro ar ôl tro. Sy'n codi'r cwestiwn nawr, beth oedd amcan yr act? Y gamp — maddeuer y gair mwys — oedd ymddangos mor debyg i 'fenyw' â phosib nes twyllo'r gynulleidfa, dros dro, dim ond i atgoffa'r gwylwyr taw dyn oedd e go-iawn. Nid 'drag act' à la Ru Paul eithr rhyw gyfuniad od o gomedi a thric. Er bod pob un yn gwybod ymlaen llaw taw dyn oedd Danny la Rue, roedd atal anghrediniaeth yn rhan annatod o'r cydweithrediad a'r cytundeb rhwng y perfformiwr a'r gynulleidfa, fe ymddengys.

Ac roedden ni'n gyfarwydd â nifer o ddoniolwyr 'camp'. Frankie Howerd, Kenneth Williams, Dick Emery, er enghraifft, er bod pob un ohonyn nhw yn gwadu bod yn 'hoyw' (rhaid cadw'r dyfynodau wâth nad yw'r term wedi cael ei dderbyn eto). Mae'n anodd meddwl am neb mor amlwg a digamsyniol o 'hoyw' na Larry Grayson, ond wnaeth e byth datgan yn ddigyfaddawd ei fod yn 'hoyw'. Yn wir, maentumiai ei fod yn dymuno priodi'r actores, Noele Gordon.

Nid yn unig roedd cyfunrhywiaeth yn guddiedig o flaen ein llygaid, fel petai, ond roedd yna ryw ddallineb drwy gydsyniad cyffredinol yn ei chylch. Dim rhyfedd fel y gallai llanc yn ei arddegau yn y Cymoedd ddod i gredu taw ef oedd yr unig un yn y byd.

Yn yr ysgol, hyd yn oed yn ysgol y babanod, roedd bod yn sisi (a phob amrywiad a chyfystyr) yn beth drwg, os nad y peth gwaetha y gallai bachgen fod, ni ddymunai neb fod yn 'un ohonyn nhw'. Wedi dweud hynny, nid yr un peth yn gwmws â bod yn 'hoyw' oedd bod yn ferchetaidd (brysiaf i nodi fy mod yn gwybod yn iawn nad yw pob person hoyw yn ferchetaidd ac nad yw pob person merchetaidd yn hoyw, rwy'n cydnabod hefyd bod elfen fisogynistaidd ymhlyg yn y term, 'merchetaidd', ond rhaid i mi ddefnyddio iaith gyffredin cymdeithas na theimlwn fy mod yn perthyn iddi yn y 1960-80au). Yr unig dro i mi glywed oedolyn yn crybwyll cyfunrhywiaeth, a hynny ar letraws fel petai, oedd pan soniodd athro am ferch bert iawn wrth griw o fechgyn: 'os nag ych chi'n ffansïo hon'na, mae rhwpeth yn bod 'da chi.' Dyma athro ysgol mewn brawddeg gota yn datguddio yn ddigywilydd ei deimladau personol anaddas tuag at ferch dan bymtheg oed, gan haeru fod y cyfryw deimladau yn 'normal' a bod pob dyn neu fachgen nad oedd yn rhannu'r un teimladau yn 'annormal'. Roedd hi'n anodd tynnu casgliadau positif o agweddau fel 'na.

Roeddwn i'n 'ferchetaidd', yn 'sisi', yn 'pwff', 'nansi', 'pansi', 'cwiar'. Er i mi wneud fy ngorau i ymaddasu ac ymunioni, braidd yn ofer oedd f'ymdrechion a bod yn onest. Mor negyddol oedd agweddau'r ysgol, hynny yw, yn ddisgyblion ac yn athrawon, heb sôn am gymdogion a theulu tuag at y 'merchetaidd', a'r hyn nad oedd yn cael ei enwi, cyfunrhywiaeth, nid oedd modd teimlo'n gadarnhaol yn ei gylch. Dro yn ôl, clywais lenor o Gymro o'r un genhedlaeth â mi yn datgan yn ysgafn na phrofasai unrhyw homoffobia erioed yn ei gymuned. Amlwg nid yn unig nad oedd wedi byw yn yr un gymuned â mi yn y chwedegau ond, o bosib, nad oedd e'n byw ar yr un blaned.

Ni welais y gusan rhwng Murray Head a Peter Finch yn *Sunday Bloody Sunday* tan flynyddoedd ar ôl i'r ffilm gael ei rhyddhau yn 1971, neu efallai y byddai hynny wedi rhoi'r syniad i mi nad peth unigryw mo cyfunrhywiaeth. Yn y diwedd, bu'n rhaid i mi aros tan ddiwedd y saithdegau, pan es i Abertawe yn fyfyriwr yn y coleg celf yno i gael gweld fy neges bositif gyntaf ynglŷn â bod yn hoyw — o'r diwedd, mae'r term yn cael ei ddefnyddio — pan welais ddarn o graffiti ar wal mewn llythrennau mawr gwyn yng nghanol y ddinas honno yn datgan 'Gay is Okay'. Yn fuan wedi 'yn, rhyddhaodd Tom Robinson ei gân 'Sing if You're Glad to be Gay'.

Hud Tywyll

ALAW TOMOS

I. Does neb wedi gweld corff,
hynny yw, nid yn ei gyfanrwydd

> ond mae dy dafod yn gyhyr llithrig
> yn fy ngheg

mae blas y gors arnat,
sawr rhywbeth chwerw

> ti'n gynnes, llaith fel anifail
> yn tynhau yng nghledr fy llaw.

II. Mae o yn y ffordd mae'r dwylo'n symud
wrth gribo'r gwallt

> (Yn ddefodol)

> neu tra'n tynnu a phlethu gwalltiau
> ein gilydd; fy nghoch, dy felfed

(yn un llinyn ocr newydd)

> mae golwg ryfeddol yn dy lygaid heno,
> yn eu duon rwy'n gwylio'r haul yn gadael

> fesul lliw; fioled

> > asur

> > > efydd

> > > > aur

dy wefusau'n ffurfio siapiau llafariaid.

III. (Maddau i ni ein dyledion)
    nae'r gwir yn llenwi ein gyddfau
    lle bu gweddïau
    (Un tro)

            Ar y comin, yn ein noethni
            deublyg yw ein natur
            argoel ydym
            (cyfrinach rhwng y gwyll a'r wawr)

                        Melltith o gnawd a thir

            IV. Yn ein hymysgaroedd mae meinweoedd
                cyswllt dywyll yn cofio heb gof,
                pob gair a drodd yn swyn dywyll
                a galchodd y muriau'n wyn

                        yn nelw'r fro,
                        yn enw cydlyniaeth
                        i lyfnhau'r arwyneb

                                (Ond   mae   llwydni'n
                                    treiddio,
                                a thai unnos yn para oesoedd,
                                    medden nhw)

DAF JAMES

Llwyth
(detholiad)

GAVIN: Mae Cymraeg yn weird, nagyw e? Much as I like the 'ti's and 'chi's and all that, mae jyst yn neud pethau'n complicated. It just gets in the way. Nagwyt ti'n meddwl?

DADA: Mae parch yn bwysig.

GAVIN: Ie, ond mae'n like bod e'n rhoi airs and graces i pobol who don't deserve it, fel. Like half the teachers in my school are wankers. Why should they be 'chi'? Not Mr Thomas, wrth gwrs, mae fe'n brilliant, he's a total 'chi', but there's other ones sy' ddim, a fi'n pissed off bod fi'n gorfod rhoi respect i nhw, specially pan mae nhw'n fforso ti i neud. So then I don't want to play by their rules. If pawb was 'ti' falle bydde mwy o pobol yn siarad e.

DADA: Chi'n hen gommunist bach, yn dy'chi?

GAVIN: Ond mae'n piso fi off, fel. Like pam mae'n rhaid i pob gair bod yn benywaidd neu gwrywaidd? Mae'n sexist.

DADA: Ma' rhai yn gallu bod yn fenywaidd ac yn wrywaidd, Gavin.

GAVIN: Really?

DADA: Really.

GAVIN: Mae Cymraeg yn queer?

DADA: Yn gallu bod.

GAVIN: Wicked.

GAVIN: Ond beth am y gair 'gay' yn Cymraeg … gwrw … gwrw-thingy?

DADA: … gydiwr. Gwrywgydiwr.

GAVIN: Ie, that's it. Gwrywgydiwr! Man-gripper. What's that about? Makes me sound like a JCB.

DADA: Beth am hoyw?

GAVIN: That's equally shit.

DADA: Pam?

Curiad.

GAVIN: Mae'n soundo'n gay.

Curiad.

GAVIN: Beth yw'r gair Cymraeg am camp?

Curiad.

DADA: Derek Brockway?

GAVIN: No wonder fi'n confused.

ANEURIN: Ac o bell,
Dwi'n arolygu'r olygfa.
Dacw Dada,
Lawr ar y sofa,
Yn ymofyn am noddfa anaddas
Yr ieuainc wrth yr hen.

Fel Adenydd

Ro'n i'n ddeg oed pan ddechreuais i dyfu adenydd.

Dwi'n cofio sefyll efo fy nghefn at ddrych mawr stafell Mam a throi fy mhen i sbïo, i sbïo ar yr un gyntaf. Y bluen gyntaf. Fy mhluen gyntaf i. Dwi'n cofio estyn llaw dros fy ysgwydd, gafael yn ei hasgwrn cefn tila a thynnu. Doedd yna ddim llawer iawn o waed arni, felly roedd yn hawdd i mi weld lliwiau'r ffibrau: fioled, oren, glas, gwyrdd, indigo, coch, melyn. Melyn crème brûlée.

Ar ôl sefyll yno am rai eiliadau yn crynu, 'nes i ei thaflu i'r bin gegin a thrio anghofio amdani am flynyddoedd, nes iddi hi gyrraedd. Fel yr haul wedi'i garcharu o fewn croen. Dwi'n cofio eistedd ar flaen sêt y bws ar y daith yn ôl o'r ysgol y diwrnod hwnnw, fy nghefn yn bigau drosto. Wedyn, ar ôl sicrhau fod y tŷ yn wag, rhedais i fyny'r grisiau at stafell Mam a thynnu fy nghrys ysgol, fy nghefn at y drych. A dyna lle'r oedden nhw; dwy ohonyn nhw, yn sgrech o liwiau'n rhaeadru ohonof i. Doedd dim gobaith eu cuddio nhw wedyn — roedd rhaid i mi addasu.

Addasiad 1: Torri dau dwll yn fy mag ysgol a'u stwffio trwy'r tyllau i'w cuddio.
Addasiad 2: Anwybyddu'r chwerthin a'r sibrwd yn y stafelloedd newid rhwng gwersi ymarfer corff.
Addasiad 3: Ei hanwybyddu *hi*.

Llwyddais i ufuddhau i'r addasiadau hynny tan yr eiliad hon. Rŵan. Ar gynffon noson feddw mewn toiled yn Wetherspoons efo hi, a dwi'n gweld — trwy ddefnydd tenau cefn ei ffrog — fod ganddi hi rai hefyd. Adenydd. Fel fy rhai i! A dwi'n eistedd ar y llawr heb boeni am wlychu fy sgert ddenim a'r dillad isaf newydd o Urban Outfitters achos dwi'n gwybod rŵan. Dwi'n gwybod fy mod i'n gallu cerdded trwy ddrysau trwm y dafarn — law yn llaw â hi — a hedfan.

Diolch
(detholiad)

Rhusiais rhagddo

Mae'n anodd i'r bardd sy'n teimlo dim
wrth geisio agor y ddôr
at y stôr sy' dan stâr.

Ond heno,
gwêl Ddedalus ei ddyddiau'n agor o'i flaen
a'i feiro'n synhwyro cyfeiriad y dweud
wrth ei gyrchu'n ddi-gymell
i gyfrinle'r co'.

Ac mae'n dechrau sgriptio —
yn y gobaith y daw
rhywun arall
i gyfarwyddo'r ddrama hon
ac yntau'n ddiymadferth yn ei olygfa'i hun.

A chyda'r drysau'n y cefn ar gau,
mae'n mentro amau
y bydd heno'n noson dda.

Pallu'n sydyn

Ac roedd o'n lle braf — am ennyd.
Cael cilio oddi wrth ei fyd
cyn i Dafwys ei bryderon
arllwys holl win llwyddiant
yn rhemp ar draws y ford.

Cyn i'r gyfrinach nychu
a'r celwydd grebachu.
Cyn i'r gwae droi'n gyhoeddus
a'r baedd droi'n bwyntio bys.
Cyn i'r pledio gychwyn
ac i dywyllwch Parc Biwt
droi'n ddudew oesol.
Cyn i'r datgelu droi'n danchwa ...

... nad oedd.

Dim ond diolch yn dalpie sy'
am fod pob cam o'r fan hon
yn haws o dipyn yr awron.
Am nad oes rhaid iddo bellach
ddeisyfu llwybr amgenach.
Am y gall yr hwn a'r hon
adlewyrchu lens ei weld.

Bydd rhaid aros yn hwy am wir
luosog
ond o'i gael,
bydd yn odidog.
Ac ni bydd y drws
at y stôr dan stâr
ar gau
byth mwy.

Coffi a Chacen

Prynodd goffi llefrith a chacen fach, a chafodd le wrth fwrdd wrth y ffenestr fawr a wynebai'r lôn. Rhaid oedd gwasgu ei hun i eistedd ar stôl uchel rhwng dau gwsmer arall, roedd hi mor llawn â hynny'n y caffi bach.

Tynnodd ei siwmper ysgafn, roedd hi mor gynnes yno'n y ffenestr yng ngwres haul y prynhawn cynnar, ac roedd Richard mor falch ei fod yn gwisgo crys-t glân gan nad oedd o wedi dod â chymaint â hynny o ddillad efo fo ar y trip yma i'r dref-glan-môr.

'Sori!' meddai, wrth sylweddoli fod tynnu ei siwmper yn dasg anoddach na'r disgwyl mewn ffasiwn le cyfyng, ac roedd yn ymwybodol fod ei gyd-gwsmeriaid brin gentimedrau'n unig oddi wrtho. I wneud pethau'n waeth, wrth iddo godi'i siwmper dros ei ben, fe gododd ei grys-t hefyd i fyny at ei geseiliau. Teimlodd ffasiwn gywilydd, ac wrth drio cuddio'i gnawd a thwtio'i grys-t, mi fu bron iddo droi ei goffi drosodd. Difarodd ei enaid iddo fod wedi mynnu trïo stwffio'i hun ar y stôl uchel yma rhwng dau berson mor agos yng ngwres yr haul, a oedd, erbyn hyn, yn sgleinio yn ei wyneb wrth iddo eistedd o'r diwedd.

Chafwyd dim ymateb gan y cwsmer ar y dde iddo.

'Hei, dim problem, siŵr,' meddai'r cwsmer ar y chwith. Symudodd hwnnw ei gylchgrawn i wneud mwy o le.

'Diolch, 'nes i ddim meddwl hyn drwodd yn iawn, naddo!' atebodd Richard, yn flin efo fo'i hun am achosi cymaint o stŵr.

Wedi sortio'i hun, edrychodd Richard ar y cwsmer wrth ei ochr a bu bron iddo syrthio oddi ar ei stôl yn y fan a'r lle. Y dyn yma oedd y cochyn a welodd yn yr orsaf ddoe.

'Dim problem, siŵr; mae'n reit brysur 'ma pnawn 'ma, tydy?' atebodd y cochyn, wrth gymryd llowciad o'i smwddi gwyrdd.

Teimlodd Richard yn hen ffasiwn fel jwg yn eistedd yno efo'i goffi plaen — yr unig beth oedd ar goll oedd doili i'w roi ar y blât efo'i gacen, ac iddo ddod â gweill a gwlân allan o'i fag a dechrau gweu cardigan.

'Tydw i heb fod yn y caffi yma o'r blaen … mi o'n i'n arfer byw'n y dre 'ma am dipyn ond, ddim ers sbel bellach …' sylwodd Richard ar ddiflastod ei sgwrs ei hun.

Edrychodd lawr ar ei baned i astudio'r dylunwaith ffurf calon ar ffroth hufennog ei goffi; bob tro un ai'n galon neu'n ddeilen rhedyn, meddyliodd, cyn meddwl eto pa mor boeth a lletchwith y teimlai, ac fel yr hoffai, y funud honno, gael gadael a pheidio â throi'n ôl nes cyrraedd y traeth eto a theimlo awel y môr ar ei wyneb.

'Wyt ti'n iawn?' holodd y cochyn gan synhwyro fod ei gyd-gwsmer yn anesmwyth.

'Ydw … dwi'n iawn, diolch 'ti,' atebodd Richard yn ddigon swta gan sylweddoli ei fod yn rhoi'r argraff hollol anghywir i'r cochyn del 'ma a eisteddai mor agos ato. 'Barod am y banad 'ma! … Richard ydw i.'

'Trystan dwi, o Bentref Helyg, ond, dybiwn i dy fod yn gwybod hynny'n barod?'

Cymerodd Trystan ei amser a gosododd flaen y gwelltyn a safai yn ei wydryn yn ei geg, a sugnodd ar lowciad o'r hylif gwyrdd, gwelltiog-yr-olwg, ac edrych ar Richard.

Cochodd yntau wrth sylweddoli fod y cochyn, rŵan ag enw rhywiol i gyd-fynd â'r wyneb clên a'r locsyn coch golau, hefyd wedi sylwi arno'n syllu ar y llanc o ffenestr y trên ddoe.

'Sori, doeddwn i'm 'di bwriadu syllu arna chdi fel yna,' meddai, wrth deimlo'i hun yn cochi.

'Oeddat, tad! A ti 'mond yn sori rŵan am y ces di dy ddal, boi!'

'Yli, dwi ddim yn desbrét nac yn byrf na dim byd felly, jesd digwydd dal fy sylw i 'nes di ddoe,' ceisiodd Richard osgoi sefyllfa anodd gan nad oedd yn siŵr a oedd y Trystan yma hyd yn oed yn hoyw.

'Paid â chynhyrfu, 'mond tynnu dy goes di ydw i,' meddai, gan osod ei law ar ben-glin Richard, 'mi 'nes i dy glocio di ddoe hefyd, ac mi 'nes i lecio be welish i'n syth. Mi eisteddish i'n y cerbyd nesaf am nad oeddwn i isio codi cywilydd arna chdi'n y fan a'r lle.'

'Codi cywilydd? Pam ti'n meddwl 'sa hynny wedi digwydd?' holodd Richard gan deimlo effaith y llaw ar ei ben-glin wrth i'w galon ddechrau curo'n galetach yn ei frest.

'Achos o'n i bron â torri bol isio gwneud hyn i chdi,' a gyda hynny, gwyrodd Trystan drosodd a phlannu cusan ar wefus Richard.

Syllodd Richard i'r llygaid gwyrddion ac fe'i cusanodd yn ôl, yno, o flaen pawb a phopeth yn y caffi bach prysur. A ddywedodd yr un o'r ddau'r un gair am eiliad, cyn i Richard ddweud y geiriau cyntaf a ddaeth i'w ben, 'Tisio dŵad nôl hefo fi?'

Gwenodd Trystan gan droi'n ôl at ei smwddi gwyrdd a throi'r gwelltyn yn araf, araf bach, ei lygaid yn chwarae drwy'r ffenestr.

Apwyntiad Cyntaf

(drama mewn dwy ran)

Rhan 1

Anadla!
Dyma dy gyfle ola.
Dangosa dy hun.
Adrodda dy emosiynau anniben
ond paid gafael yn dy boen yn rhy gryf.
Esbonia'r unigrwydd o tu mewn i deml dy deimladau a dwed dy feddwl yn glir.
Dwed y gwir
am y corff 'ma sydd ddim yn berchen i ti,
am y dieithryn rwyt yn gweld yn y drych ar ddechrau a diwedd pob dydd.
Am y byd 'ma sy'n dy orfodi i gerdded yn syth
pan mae dy lwybr personol di yn igam-ogam i gyd.

Darlunia iddyn nhw lun.
Llun o dy brofiadau, dy orffennol ac am dy ffydd am y dyfodol;
am allu camu'n rhydd
gyda gwên go iawn, a gogoniant pur.
Am rhy hir, mae gafael y dysphoria wedi clymu ti lawr,
ond nawr,
mae'n amser i ti hedfan yn ffri.
'I know why the caged birds sing',
achos heb y synau swynol 'sneb yn clywed eu sgrechian o gwbl.
Felly siarada'n feddal,
stedda'n llonydd,
a bydda'n onest.

Rhan 2

Dere mewn.

Chwyda dy galon ar y llawr o flaen fy nhraed
a gad i mi bigo trwyddo.
Cria dy boen
ac arddangosa'r casgliad o gytiau o gasineb ar dy groen.
Dangosa i mi pa mor bwysig yw hwn i ti.
Mae dy fywyd swynol di
yn eistedd yn fy nwylo i
sy'n cydio yn dy lifeline olaf ...
Felly rho reswm i mi beidio gadael fynd.

Dwed dy hanes wrtha i,
y diethr 'nath dy fam rubuddio ti amdano.
Ond paid â phoeni,
cariad bach,
mae clipboard a chlustiau 'da fi,
felly mi wna i wrando ar dy ...
chwedl.

Profa dy hun.
I mi gael penderfynu ar dy ddyfodol di.
Mae hanner awr yn ormod o amser felly beth am ei haneru eto?
Yn dy eiriau dy hun,
pam wyt ti'n meddwl dy fod ti'n traws?

Difyr.

Felly, i grynhoi:
ar ôl dy gyfarfod unwaith,
clywed llai na mymryn o dy brofiadau,
gweld cipolwg o sut yr wyt yn edrych,
rydw i wedi penderfynu ...
dwyt ti'm yn traws.
Dwyt ti'm yn ffitio mewn i'r 'bocs' yn ôl y criteria.
Does dim digon o hunan-gasineb 'da ti.
Dwyt ti heb hyd yn oed trïo lladd dy hun eto,
so we've still got time.

Dere nôl mewn cwpl o flynyddoedd ar ôl i ti fynd trwy puberty.
Cwpwl mwy o flynyddoedd o bobl yn dy alw di'n 'miss' a defnyddio'r enw anghywir.
Gad i dy symptomau waethygu
ac i dy gorff a bronnau dyfu,
casâ bob modfedd o dy hun nes iddo dy yrru'n
wallgo.
A wedyn, dere nôl.

Cwlwm Rhydd

Geiriau'n gaeth rhwng dau; yn rhydd rhwng amrai

Ymrwym wenfflam at ramant,
Câr sy'n blethiant, chwyddiant chwant.
Rhydd yw ffurf cwlwm ein rhaff.
Sylwn eich anwar argraff.

Cynnal cyfal yw cariad?
Yn barêd i guddio brad?
A'r sôn am y Siôn a Siân:
Anwyliaid di-baid, diwahân.

Cyfathrebu yw sail cyfathrach,
Ysfa am chwa awyr iach.
Gwarchod rhyddid, gwreich ein rhodd
Ysgariad — rhagymadrodd.

Serch yw'r absen, genir
I garu eraill a'r gwir.
Cyswllt ei bwrpas cudd?
Darganfod nabod newydd.

Nid eiddo mohonom.
Bodlonrwydd rhin sydd rhyngddom.
Carwn nifer, câr eros;
Nyni'n berthynas sawl nos.

Ella …

'Sna'm gair Cymraeg am crush, nac oes? Dim un sy'n cyfleu'r ing llethol 'na o ellas, tybeds a phryds; lle mae dim ond meddwl amdanyn nhw'n gwasgu ar bob gronyn ohonat ti, y gobaith o'u gweld nhw'n dal ar dy wynt, a'r syniad o'u presenoldeb nhw'n gwmwl o gyffro yn dy ddychymyg nes mai cwsg ydy'r unig ddihangfa rhag yr angen afresymol 'na i wybod bob dim amdanyn nhw. Os a phan ddaw cwsg … mae'n lluddedig.

Ers i mi ei chyfarfod hi, mae hi wedi bod yn hawlio lle yn fy meddyliau yn ddi-baid. Mae ei hwyneb hi'n atal llif unrhyw dasg ac yn ymddangos fel y gwna notifications WhatsApp ar sgrin ffôn pan mae'r grŵp tecst yn ffrwydro adeg ffeinal *Bake Off* neu *Strictly*. Ping. Ping. Ping. Am ddim rheswm, yno mae hi'n crwydro mewn i fy meddyliau. Mae'n neis mewn un ffordd, dwi'n licio meddwl amdani. Lle mae hi'n mynd â fy meddwl i sy'n fy mhoeni i.

Eistedd wrth y bwrdd drws nesa i'n un ni oedd hi, a mi ddechreuon ni siarad pan aeth Ffion i'r toilet, ac Eleri i'r bar a 'ngadael i ben fy hun i gadw'r bwrdd a gwylio'r cotiau. Roedd hithau wedi ffeindio'i hun mewn sefyllfa go debyg. Wedi pum munud o gellwair am ddigrifwch yr arfer yma, dychwelodd ein ffrindiau aton ni, a ninnau'n nosweithiau neilltuol ein hunain. Rhyw awr a hanner yn ddiweddarach a'r ddiod wedi bod yn llifo, dechreuon ni sgwrsio eto.

Dwi'n difaru yfed gymaint â 'nes i'r noson 'naethon ni gyfarfod — dwi'n difaru yfed yn rhy aml yn ddiweddar. Mae fy atgofion i o'r noson fel petaen nhw wedi'u dal mewn rhwyd fân — mi alla i weld darnau ond dwi methu'n lân â'u rhyddhau nhw er mwyn i mi eu dal nhw, eu harchwilio, eu tynnu'n ddarnau a'u rhoi yn ôl at ei gilydd fel digwyddiad hollol wahanol. Ella y dylwn i fod yn falch nad ydw i'n cofio'n iawn. 'Mond math gwahanol o obsesiwn fyddai hynny; cnoi cil ar edrychiadau, cyffyrddiadau, sylwadau a'r pethau fyswn i wedi gallu eu dweud ond 'nes i ddim eu dweud nes 'mod i wedi lapio fy hun mewn blanced drom o hunan-atgasedd am dri o'r gloch y bore yn dal i fethu cysgu. Arteithio fy hun efo pethau sy' ddim wedi digwydd, neu'n waeth, arteithio fy hun yn dychmygu pethau allai ddigwydd. Y gobaith ei bod hi'n teimlo'r un fath â fi yn fy nghadw i ar ddihun. Mae'n gwasgu'n dynnach arna i.

Un o'r pethau dwi yn ei gofio'n glir ydy canu. Mi oedd 'na covers band yn gweryru yng nghornel y dafarn. Oedden nhw'n ok tan iddyn nhw benderfynu ein goleuo gydag un o'u caneuon eu hunain. Dwi'n cofio dweud fod y gân yn swnio fel cymysgedd wael o Arctic Monkeys a Lily Allen. Chwarddod am hyn, a gwelais fflach o ddiddordeb yn ei llygaid. Dyna pryd ddechreuodd y gwasgu. Canu, chwerthin, fflyrtio. Gwenu, canu, dawnsio. Felly buodd hi tan iddi ddweud bod yn rhaid iddi fynd.

Gen i go' o gydio yn ei llaw a gofyn a oedd rhaid iddi fynd. Dwi'n meddwl ei bod hi wedi dweud ei bod hi isio aros, ond bod ei ffrind yn dibynnu arni. A dwi'n meddwl ei bod hi wedi dal gafael yn fy llaw inna 'fyd am eiliad yn fwy nag oedd angen. Cyn i'w ffrind ei llusgo o'r dafarn, holais, 'Be ydy dy enw di?' Roedd hi'n sbïo i'n llgada fi ac yn gwenu. Ac yn dweud rhywbeth. Yna'n gwasgu fy llaw, ei gollwng a mynd. Mae 'di bod yn chwarae ar lŵp yn fy mhen; drosodd a throsodd a throsodd fel ôl-fflachiadau darniog o ddrama deledu wael. Be mae hi'n ei ddweud? Dwi'n trïo canolbwyntio ar siâp ei cheg ond mae'r atgof o deimlo ei chroen ar fy nghroen yn drysu fy nghanolbwyntio. Gwres ei llaw yn fy llaw yn fy nhaflu i freuddwyd arall.

Mi oedd hynny dair wythnos yn ôl.

Mae hi'n gweithio yn yr un adeilad â fi. I gwmni arall, ar lawr arall, ond yn ddigon agos i mi obeithio, yn ddyddiol, daro arni. Digon agos i ddylanwadu ar be dwi'n dewis ei wisgo, digon agos i mi gymryd gofal ychwanegol wrth goluro yn y bore a sychu 'ngwallt yn iawn, yn lle'r hanner ymdrech arferol. Digon agos i gynnal y gobaith am ddiwrnod arall.

Ella 'fory.

ELLIS LLOYD JONES

y 'fi' newydd

Agwedd newydd.
Corff newydd.
Llais newydd.
Personoliaeth newydd.

Dyma fi!
(Dwi'n meddwl?)
Person gwahanol.
(Nid cweit).
Dwi wedi gadael fy hen hun yn y gorffennol.
Gwisga i golur i uwcholeuo fy uchafbwyntiau.
(Mae e dal yna! Yn cuddio tu ôl i'r mwgwd).
Bydd pawb yn caru'r 'fi' newydd.
Bydd pawb yn fy hoffi fi bach mwy!
(Byddant! Ond nid fi yw'r 'fi' newydd).

Y wên o glust i glust
sy'n cuddio cyfrinachau.
Clywaf bob gair sarhaus
sy'n pydru fy ymennydd.
''Sdim ots 'da fi!',
sy'n gadael fy ngheg.
Dwi'n dal y dagrau'n ôl
sy'n perthyn i'r hen 'fi'.

Un eiliad. Cymera saib.

Edrycha i'r gynfas.
Lliwia dy hun fel ti dy hun.
Lliwia dy hun yn lliwiau llachar.
'Istedd yn ôl ac edrych ar dy gampwaith.
Sylwch ar bob peth perffaith.

Nid newydd ydw i.
Yr un person ydw i.
Dim angen poeni am guddio.
Dim angen poeni am redeg.
Yr unig beth newydd
yw'r rhyddid.
Rhyddid
i ymddwyn fel fi,
i edrych fel fi,
i swnio fel fi,
i actio'n gyfforddus,
fel fi!

NIA MORAIS

Blodeuwedd

Ges i 'ngeni o rithiau llawn chwys.
Rhyw orlif o lafoerion, rhyw ergyd
wedi hyrddio at gefnau'r duwiau,
fel bod dy anghenion di'n haeddu clust.

Ŷd euraidd am wallt, clychau'r gog i bob llygad.
Creaist asgwrn cefn o glustogau mwsogl, y gorau
imi orwedd arno.
Plycio petal perffaith i goroni pob bron,
rhasglu'r eithin yng nghroesffordd fy nghoesau.

Blagurais mewn tusw o gamri, gold mair, pabi,
Helyg.
Pan drodd fy ngheg fêl yn sur —
mae gwyrthiau hefyd yn 'nabod dolur —
rhoddaist grafangau drain a phlu llwyd.
Ond mae'r llannerch gyda'r nos yn fyw.

Mae gen i adflas dy waed ar fy nhafod.
Wyt ti dal yn blasu fi?
Dyna fy nghân yn dod trwy'r coed —
pwy, pwy, pwy
all guro fi?

Ymlaen

You wanting to be free feel your liberty a nawr dyma fi ben fy hun hit the 30s
'Sa i yma ar gyfer y pity parties just thought our trajectory would get the future started

But I guess it has

in

a

way

Cishets ohyd yn dweud
'bAbEs MuSt Be SoOOOo MuCh EaSiEr To Be GaY'

...HA!

'Sdim syniad 'da chi how deeply it can mess with you
Someone oeddet ti'n caru edmygu disregarding you

YOUR NEEDS

In their aim to be free,
Nawr rwy'n building up something better see

Antur anffodus
Ond cryfhad hudolus
Ganddo ti

I hope you found peace between her thighs and I hope you found peace between the
cyfrinachau heddwch mewnol wrth sarnu ond co fe eff it AMDANI

Moving on

hebddo ti

AnxietyClampedMe hard

Wanted to scream Cerdd Dant 'da'r cadno in my street

Now sit sweet knowing that proof is in the pudding not the pounding

A diolch i'r rhai agos I've found my grounding

When you groud me   t o   a   h   a   l   t

Thanks to chosen family rwy'n blasu the future not the salt

Rwy'n falch so ti'n deall Cymraeg

Mae rhyddid dwyieithrwydd yn rhywbeth hudolus

Boosts your system like a dab of propolis

Yn Anffodus

Dim y dyfodol o'n i'n obeithio ar ôl mass drafodaeth

Ond equally I feel I grew a self-esteem from this marwolaeth

Marwolaeth o beth o'n i

Beth o'n i'n mynd i rhoi lan 'da

Marwolaeth o beth oedd yn cadw fi'n gaeth i freuddwyd

Marwolaeth

Phoenix   creeping   from   spitting flames   living to fight   and breathe

another day

living to breathe this pain away

Which I continue to do today
Brwydro

I'r gad

I know there's heddwch ac hapusrwydd to be had

Wrth i mi farddoni
Mae'r pen yn codi
Ac yn ysgogi
CAMAU ymlaen ymlaen ymlaen
YrUnigBethAmdaniYw
ymlaen ymlaen ymlaen
RhoAmserImiOnd
Ymlaen
        Ymlaen
                Ymlaen
HealingNotLinearOnd
                Ymlaen
                Ymlaen
                Y M L A E N

Symbiosis

MELDA LOIS GRIFFITHS

Dyfrio. Ail-botio. Plannu. Tocio.
Dwylaw yn gofalu, mor gryno
ar y silff yng ngwres yr haul,
dy deyrnas sydd yn dawnsio.

A'r dail yn ymestyn eu dwylo fry
yn eu diolch i ti, ma' nhw'n chwifio,
a'u gwreiddiau dwfn, mor falch o'u lle,
fan hyn, 'fo'ch gilydd, da chi'n prifio.

Bob eiliad sbâr 'fo dy ben mewn rhyw lyfr
yn dysgu sut i'w plesio,
dy holl egni a roddi, fel y mawn yn y pridd,
i'w hannog i flaguro.

❖

Ond nawr, y ti, fy mlodyn bach,
sydd angen cael dy dendio,
mor fregus yn dy frwydr di,
fel y dail ar y silff sy' nawr yn crino.

Law yn Llaw

Trodd handlen y drws yn araf gan sleifio ei ffordd ar hyd yr hanner cylch yr oedd wedi'i wneud sawl gwaith o'r blaen. Nid oedd dim i awgrymu bod y drws yn agor o gwbl nes i'r gilfach o bren gyhoeddi rhuban o olau o'r tu allan, a honno'n goleuo'r aflonyddwch o lwch a ddawnsiodd i diwn an-adnabyddadwy, y tu fewn iddo.

Yn dawel, mi ddaeth dwy i mewn i'r lle gwag gan ddod â theimlad o drymder a lwyddai ond i ychwanegu at y tawelwch.

'Lle ddylsa ni gychwyn?' gofynnodd y fenyw gyntaf, gan symud rhuban o wallt coch y tu ôl i'w chlust.

Dyma'r ail fenyw, yn fyrrach na'r gyntaf â gwallt hir, melyn mewn býn, yn codi ei 'sgwyddau at ei chlustiau.

Roedd y fenyw-gwallt-fflamgoch yn edrych fel petai'n ffurfio syniad yn ei meddwl. ''Sa well gen i neud y darnau anodd gyntaf. Felly — ei llofft hi.'

Nodiodd ei chydymaith gyda gwên garedig a dyma'r ddwy fenyw ifanc yn mynd i fyny'r grisiau.

Er bod y golau tu allan wedi diflannu o'r ystafell bellach, parhaodd y llwch i ddawnsio yn y cysgodion.

Dechreuodd y menywod dyrchu trwy'r ystafelloedd gwely gwag a didoli pentyrrau o ddillad, hen emwaith a ffotograffau fel memrwn wedi'u bwndelu gyda'i gilydd.

'Chdi 'di hon?' gofynnodd y fenyw benfelen gyda gwên ddireidus. Fflachiodd ffotograff o ferch ifanc foni ar lin gwraig hŷn gyda het bapur ar ei phen fel coron.

Syllodd yr ail fenyw ar y llun a fframiodd ei gwallt coch gwên dorcalonnus ar ei hwyneb: 'Nain a fi. Sbïa'r ffrog 'na! Ych!' chwarddodd y ddwy gyda'i gilydd.

'Esyllt a Nain, Nadolig 1995.' Darllenodd y fenyw gwallt melyn. Wrth iddi edrych i fyny, rhedodd deigryn lawr boch Esyllt oedd yn frychni fyw. Cerddodd draw ati a gafael yn wyneb Esyllt efo'i chledrau, a sychu'r deigryn, a rhoi cusan dyner ar ei gwefusau cyn gorffwys ei thalcen ar dalcen Esyllt.

'Well i ni gario 'mlaen 'dydi,' meddai Esyllt, yn y man.

Bu'r ddwy'n brysur gyda blychau a droriau am rai oriau. Roedd y golau wedi cymryd arlliw euraidd erbyn i Esyllt godi ei phen o'r bocs bach, tolciog yr oedd hi wedi ymgolli ynddo.

'Mari, sbïa ar hwn,' galwodd ar ei phartner.

Cerddodd Mari ati a darllen y llythyr a gyflwynwyd gan Esyllt. Culhaodd ei llygaid a dechreuodd crychau mân ffurfio yng nghornel ei llygaid cyn iddynt ddiflannu wrth i'w llygaid hithau dyfu mewn syndod.

'Ond …' dechreuodd Mari.

'Ma' 'na lwyth o lythyrau'r un fath yma,' gorffennodd Esyllt.

'Ond …'.

'A lluniau …' sibrydodd Esyllt.

Cerddodd Mari tuag at y bocs a syllodd y tu mewn iddo. Cododd hi dri neu bedwar llun. Roedd pob un ohonyn nhw'n hen a hindreuliedig. Roedd ganddyn nhw i gyd ddwy ferch ifanc yn gwenu neu'n dal dwylo neu'n cofleidio.

'Mae'r llythyrau 'ma i gyd o fewn cyfnod o dair blynedd, o 1942 i 1945, ac i gyd gan rywun o'r enw Mared at …' diflannodd diwedd brawddeg Esyllt.

'At Anest,' gorffennodd Mari.

Dyma ddistawrwydd yn setlo rhyngddynt wrth i'r llwch o'r blychau ddawnsio yng ngolau'r machlud.

Gosododd Mari law gysurus ar gefn Esyllt, wrth iddi hithau gymryd un llythyr ar ôl y llall i mewn.

O'r diwedd, trodd Esyllt at Mari a rhoi'r llythyr olaf iddi.

'Yn hwn …' meddai hi, 'mae'r "Mared" ma'n deud bod ei gŵr hi'n dod yn dôl o'r Eidal ymhen wythnos, a bod rhaid iddi ddod â "hyn" i ben. Mae hi'n deud bob math o betha, fel bod hi'n caru Nain, a sut 'neith hi fethu hi … sut mae'i gwallt hi'n hogla …' Oedodd am eiliad.

'Wyddwn i 'rioed am ddim o hyn,' sibrydodd Esyllt yn dawel. Ac ar ôl yr hyn a deimlai fel oes, gofynnodd, 'Be ti'n feddwl o hyn i gyd?'

Daeth golwg feddylgar i wyneb Mari, 'Mae o'n neud fi deimlo'n lwcus … dwi'n falch na fydda i byth yn gorfod sgwennu dim byd fel 'na.' Ar ôl eiliad, dyma hi'n cynnig ei llaw i Esyllt, 'Tyd, be am i ni adael hyn am 'ŵan a mynd adra, ia?'

Gwennodd Esyllt wrth iddi gymryd llaw Mari, cerdded o'r ystafell, a chau'r drws ar eu hôl.

Ac wrth i olau olaf y diwrnod ddiflannu o'r ystafell wag, dyma'r gronynnau disglair o lwch yn arafu, a gallu, o'r diwedd, gorffwys.

BETSAN HAF EVANS

Eleri

Fi'n cofio'r tro cynta 'nes i gwrdd â ti,
Ges i twmlad sbesial, yn fy mola i.
Fi'n cofio'r sws cynta, o'dd hi'n ddiwrnod braf
Dyma'r teimlad gore ges i trwy'r haf.

Eleri, fi'n joio dy gwmni.
Eleri, pob amser yn gwenu.

Ti'n ysbrydoliaeth, yn gefen i bawb,
O, creda, calon, ti heb gadael neb lawr.
Fe ddeith dy freuddwyd yn wir rhyw ddydd,
Ond i ti gredu a cadw'r ffydd.

Eleri, fi'n joio dy gwmni.
Eleri, pob amser yn gwenu.

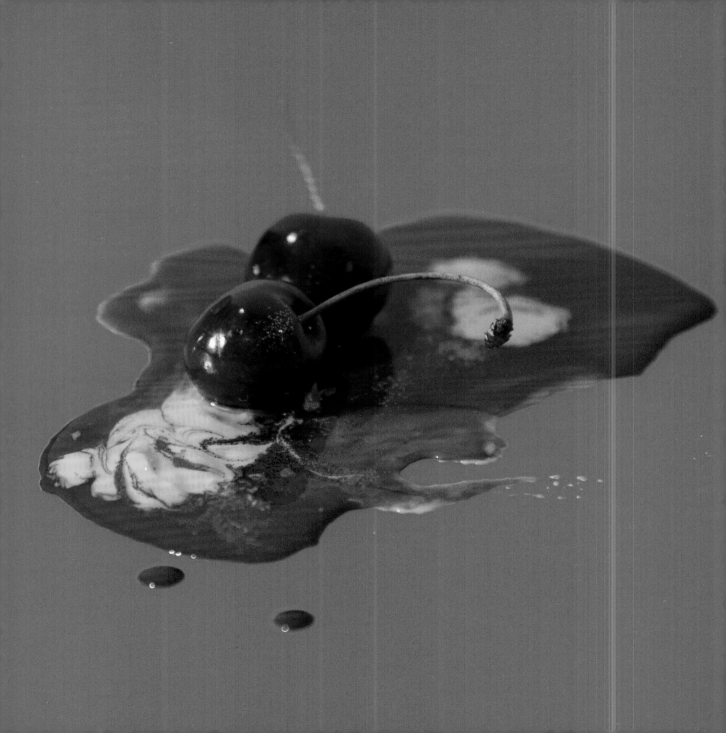

Atgof

(detholiad)

Aroglau gwair ar lawr! Dim ond ei glywed
       Ar awel lariaidd diwedd dydd o haf
A ddwg yn ôl yr Atgof hwnnw a ddywed
       Am adeg Cyfeillgarwch. Cofio wnaf
Y fel y treiglais ar fy nyfal gais
       Am gyfaill a rôi imi'r sylwedd gwir,
Heb gymryd arnaf glywed gair y Llais,
       Na digalonni er fy siomi'n hir;
A'r fel y deuthum hyd at degwch glan
       Menai hudolus un ariannaid hwyr,
Ai gwrdd efô luniais yn y man
       Yn bartner enaid â bodlonrwydd llwyr,
A sawr y 'stodiau wrth Lan Faglan syn
Yn fendith dawel ar ein cwlwm tyn.

Ein cwlwm tyn! Di, lanc gwalltfelyn, rhadlon,
       Gwyddost y cyfan a fu rhyngom ni,-
Yr holl ymddiried gonest, a'r afradlon
       Arfaethau glân a wnaethpwyd ger y lli.
Haerasom fod y byd yn ddrwg i'w fôn;
       Mynasem gael y byd o'i fôn yn dda;
A'i roi mewn moddau byw fel na bai sôn
       Am wanc neu syrffed fyth ar ddyn yn bla.
Tyngasom ddiystyrru'n greddfau gwael:
       Nid oedd y Corff ond teml y Meddwl drud;
Er blysio o ieuenctid garu'n hael
       Nid ildiem ni i ddim rhyw gnawdol hud,
Cans oni chlywem annog pêr o bell
Ar inni gyrchu at y Bywyd Gwell?

Y Bywyd Gwell! . . . Cofiaf y noson dawel
     Y cerddem adref hyd ffordd Fethel draw,
A'r wlad heb ddwndwr dyn na llafar awel
     A'r gwair yn arogleuo ar bob llaw.
Ni fynnai'n Meddwl fenthyg hanner gair
     A ninnau o ryw Wybod mawr mor llawn,
Pan dorrodd esmwyth ganu i'r Forwyn Fair
     O gwfaint rhwng y coed yn beraidd iawn.
Safasom. A charthasom yno bwys
     Ein beiau parod, dybiem ni, yn llwyr,
Rhag miwsig hen y geiriau Lladin glwys
     A gânt diweirllu'r oesodd gyda'r hwyr
I ymlid cof am hudoliaethau'r byd
O gêl gilfachau eu Meddyliau i gyd.

Cilfachau eu Meddyliau! Fe gredasom
     Ninnau, ill dau, fod ein Meddyliau'n lân
Y noson ryfedd honno, a hunasom
     A'n clustiau yn ail-ganu'r santaidd gân.
Hunasom . . . Rywdro hanner-deffro'n dau;
     A'n cael ein hunain yn cofleidio'n dynn;
A Rhyw yn ein gorthrymu; a'i fwynhau;
     A phallu'n sydyn fel ar lan y llyn . . .
Llwyr ddeffro . . . ac ystyried beth a wnaed . . .
     Fe aeth f'ymennydd fel pwll tro gan boen;
'R oedd Cyfeillgarwch eto'n sarn tan draed,
     A ninnau gynnau'n siŵr santeiddio'n hoen!
Mi lefais: Gad fi'n llonydd bellach, Ryw,–
Yr wyf yn glaf, yn glaf o eisiau *Byw!*

Byw! Mi chwenychais brofi'i hyfryd flas,
	Ond rhyngof i a Byw mae gallu Cnawd
Yn fy ngormesu iddo'n ufudd was,
	A rhwystro a ddeisyfo 'Meddwl tlawd.
Beth wyt ti, Gnawd? Tydi, a dawdd y gwres;
	A lasa'r oerfel, ac a waeda'r dur;
A gwsg, a sieryd, ac a ddibynna ar bres;
	Sy'n gweld; sy'n clywed, ac yn cynnwys cur?
Beth wyt ti, Gnawd? Tydi, ar siawns, a wnaed
	Rhag trachwant Rhyw dau na'th fynasent ddim,
A'r trachwant hwnnw yn ysfa yn dy waed
	Dithau bob dydd a nos? O dywed im!
A pham y rhoed mewn llestr mor salw ei lun
Rywbeth o ddeunydd gwell na'r llestr ei hun?

Ffordd arall wedyn a ddyfelais i,
	Ac wedyn daeth ymadrodd ar fy ôl:
Cyn llwyr-ymwadu â Rhyw, ymbwylla, di,
	A phechu i'th erbyn di dy hun mor ffôl,
Gomeddwm iti ei ddefnyddio'n gam,
	A llygru sianel santaidd Natur fawr;
Ac erchais iti ymswyn rhag rhoi nam
	Ar Gyfeillgarwch yn dy nwydus awr.
Ond ni wrandewaist. Pechaist, a syrffedu
	Ar Gariad merch a Chyfeillgarwch dyn;
A mwy, yr wyt yn feddal iawn yn credu
	Mai haint yw cyffwrdd Cnawd, a charu llun
Mwynder o'th gyrraedd... Gwagedd, gwagedd yw!...
Priodi Cnawd a Meddwl — dyna yw Byw.

Lliwiau

Melyn
(dod allan)

Mae ysfa cynllun y galon
yn curo'n gryf erbyn hyn,
ysfa yr ydw i'n fwy na hapus
i'w ddilyn. Gwrandawaf
ar ei chyfarwyddiadau manwl
ac astudiaf indecs yr enaid
nes dwi'n gwbod pob gair
a'u hadrodd fel petaswn i'n eu hanadlu.

Mae'r grofen yn anodd
i dorri i ffwrdd,
oherwydd 'sdim bara na thorth hebddo,
ond 'sneb yn hoffi'i fyta,
pan mae'n rhy galed.

Pendil yw fy nghalon,
yn curo fy ymennydd
a'i hysgwyd, jest oherwydd,
yn gwybod yn iawn
yr ildia cyn bo hir.

Telynegaf hapusrwydd fy nghalon,
y geiriau'n llifogi allan o'm ceg,
fel pistyll mewn glaw trwm,
â Sum Ting Wong yn rhythu arnaf
mewn syndod cefnogol,
wrth i'r wybodaeth brosesu yn ei phen.

Ymlacia fy nghalon, yn gorffwys
yn stond yn ei lle am unwaith,
wrth iddi ynganu geiriau rhyddhad;
'Actually, I clocked it when you were nine!'

Pinc
(fy mhrofiadau cyntaf o ffansïo genod)

Mae llais fy nghalon yn llym,
wrth ddarlithio'r hyn
roeddwn i'n rhy brysur i'w hanrhydeddu;
y chwant arallfydol sy'n arweinydd
yr enaid, y cyflaith melys sy'n cythryblu
pilipalod y stumog
i gracio allan o'u cocynau —
teimladau y sylweddolais y medrwn i eu
profi,
wrth astudio pa mor ddeinamig
all alaw fy nghalon fod.

***

Mae goddefgarwch yng ngwên un ohonynt,
ei chregyn bychain o lygaid
yn darllen holl chwedlau'i bywyd i mi,
a chwrls tywyll ei gwallt
yn cuddio'i swildod clên,
yr ysaf i archwilio â 'mysedd.

Esmwytha gopr wallt y llall,
y minlliw coch ar ei gwefusau'n
awgrymu cyfrinachau chwareus ei henaid,
ond datgana doethineb ei llygaid stori arall,
stori yr ysaf i wrando arni.

Ond, eisteddaf yn unig,
â chadwyni'n brathu fy fferau
a rhaffau'n gratio croen fy ngarddyrnau,
yn hiraethu be 'sa'n bosib,
petasai un o'r tylwythau'n
torri'r cadwyni a rhwygo'r rhaffau
a'm cymryd ar daith
'sa bywyd ei hun yn genfigennus ohoni.

Glas
(y byd rydym yn byw ynddo heddiw)

Heno, mae'r awyr yn garbon,
y sêr yn mudlosgi fel cyfresi o addewidion,
y tywyllwch yn fy nistrywio fel sialc ar lechen,
tra eisteddaf yma, yn nheyrnas y darnau sbâr,
yn ystod sbwriel o haf arall,
a finnau wedi profi mileindra'r machludiadau
gormod o weithiau'r haf hwn.

Syllaf ar lesni'r lloer,
tra'n gwrando'n astud ar lais dim byd,
yn chwilio am yr atebion am sut fedra' cariad —
braint anrhydeddus sy'n rhaeadru drosot
fel tynged dy wraidd — fod yn gysgod hefyd,
sy'n llusgo fel trosedd arswydus.

Ond, dydy'r lloer ddim yn ddrws
i blethu'r atebion (os oes 'na rai)
at ei gilydd. A 'sdim modd
anfon llythyrau cwyno ati hi,
fydd hi fyth yn ystyried fy llawysgrifen daclus,
heb sôn am ddarllen nac asesu'r wybodaeth.
Llusga caddug fflam las drosti heno,
un dig, â chymysgedd o hunan-falchder
a hunan-gasineb yng ngwreiddiau dur ei groen,
ond un llawn tosturi a chenfigen
dros y rhai sy'n gwybod blas rhyddid.

Does dim gwreiddiau mewn croen —
fedri di eu crafu i ffwrdd,
mor rhwydd â thynnu papur i ffwrdd o wal,
ond mi fydd creithiau'i fodolaeth yno o hyd,
mor amlwg â gweld rhywun
yng ngolau'r awyr glir.

Caniatâf iddi genfigennu ataf i,
mi wn y bydd hi'n darganfod ffordd
i chwalu muriau pawb arall
a bwrw'r croen sych, rhyw ddydd,
a dod i adnabod blas y cyffro
wrth hawlio'r rhyddid yng ngwraidd ei henaid.

LEE GREEN

Rhyfeddod Rhywedd

Adar bach amryliw,
nid yn unig ddu a gwyn.

Newid a ddaw;
ehedwch am y gorwel
unionsyth.

Alawon eich tragwyddol lais
i'r clyw'n
ddireidus, yn hynod
eang,
driw.

Y Daith ydi Adra
(detholiad)

Ysbyty arall mewn oes arall, mewn gwlad arall. Ystafell ymgynghori yn Ysbyty Gogledd Cymru, Dinbych, ar ddiwrnod ym mis Ionawr 1975 a hithau'n bwrw eira, a'r Dr Dafydd Alun Jones, ymgynghorydd seiciatryddol, yn esbonio triniaeth sioc drydanol. Doeddwn i ddim isio bod yn hoyw. Doeddwn i ddim isio cael fy mwlio a 'ngwatwar am weddill fy oes. Roeddwn yn ddeunaw oed a'r cywilydd, a'r gwarth ar fy nheulu, yn fy ninistrio. Roeddwn yn ddeunaw oed ac wedi fy mharlysu gan euogrwydd ynglŷn â'm harbrofi eang a chynhwysfawr a chudd â dynion eraill. Roeddwn yn ddeunaw oed ac yn ystyried gwneud amdanaf fy hun. Roeddwn yn ddeunaw oed a gallwn wneud fy mhenderfyniadau fy hun ynglŷn â thriniaeth feddygol — a'r driniaeth oedd yn cael ei chynnig oedd Therapi Anghymell Sioc Drydanol. Flynyddoedd lawer yn ddiweddarach darganfûm fod y dull hwn o 'wella' pobl o fod yn hoyw, rhywbeth a oedd yn dal i gael ei ystyried yn salwch mor ddiweddar â'r 1980au, wedi cael ei wrthbrofi erbyn diwedd y 1960au ym mhob cyfnodolyn seiciatryddol yn Ewrop a'r Unol Daleithiau. Yn amlwg, nid oedd Dr Jones wedi sicrhau bod ei wybodaeth yn gyfredol, a thra bod gen i'r gras i ymddiried ei fod yn gwneud yr hyn y credai ei fod yn feddygol addas, ni allaf faddau iddo am ei ddiogi proffesiynol.

•

Yn yr hen seilam Fictoraidd yn Ninbych roedd fy nghorff yn derbyn sioc os oeddwn yn ymateb i ddelweddau erotig o ddynion. Fe ddylai fod gwain wedi cael ei gosod am fy mhidlen i fesur chwydd, a byddai'r sioc yn cael ei rhoi trwy gyfrwng strap o amgylch fy ngarddwrn. Efallai oherwydd bod y driniaeth yn hen ffasiwn, neu oherwydd bod cyn lleied o ddynion wedi ceisio iachâd ar gyfer bod yn hoyw yn Ysbyty Gogledd Cymru, nid oedd ganddynt y wain bwrpasol, y penis transponder. Felly roeddwn yn noeth o'r canol i lawr. Dangoswyd pornograffi hoyw i mi, y math o beth nad oeddwn wedi'i weld erioed o'r blaen, ac os oedd fy mhidlen yn rhoi'r plwc lleiaf, yn dechrau chwyddo neu yn magu min, byddwn yn derbyn sioc. Am gyfnod o rhwng hanner awr ac awr, bob dydd am wythnosau lawer, roedd fy ymateb rhywiol i ddelweddau erotig o ddynion yn dod yn gyfystyr â sioc drydanol a'r teimlad annifyr trwy fy nghorff. Wn i ddim pryd yn union y gwnes i ddechrau sylweddoli bod y driniaeth roedd y Dr Dafydd Alun Jones wedi'i chymeradwyo yn gamdriniaeth.

●

Unwaith yr oeddwn wedi colli ffydd yn y therapi anghymell collais unrhyw awydd i barhau â'r driniaeth ... ac unwaith yr oeddwn wedi dechrau gweld y siociau trydan fel camdriniaeth, collais fy ffydd yn Dafydd Alun Jones. Ond roeddwn hefyd yn teimlo wedi fy nghaethiwo, fy meddwl wedi'i bylu gan gyffuriau gwrthiselder a thawelyddion, ac hefyd gan ryw derfynau roeddwn wedi'u creu fy hun a oedd yn ei gwneud yn amhosib gwrthod yr help yr oeddwn yn cael ei gynnig. Felly parhau wnaeth y pornograffi a'r orgasmau trydan.

●

Fe gymerodd amser i mi ddeall y syniad o adref fel taith. Mae darnau hir o 'nhaith wedi bod ar ymylon cymdeithas — hyd yn oed ar yr ymylon bod ar goll — ond yn union fel yr eisteddodd Mair efo fi am oriau lawer dros ddyddiau lawer yn niwedd gaeaf 1975, rwyf innau wedi cael cwmni llu o bobl am fwy na hanner oes — nid yw pawb wedi'u henwi gan fod y rhestr mor hir. Ac mae Jupp wedi dod efo fi: fo sydd wedi cadw fy nhraed ar y ddaear ... fo sydd wedi fy nghadw rhag digalonni pan fo'r gagendor ar y ffin yn ymddangos yn rhy lydan. Mae cael fy ngharu ganddo fo wedi rhoi nerth i mi, ac mae ei garu o wedi rhoi dewrder i mi.

BRYN JONES

Nid Cwestiwn yw Cariad...

Cariad yw'r cariad sy'n curo ynom
    mor wynias i'n cydio
  ni ddeuddyn a'n cymuno
  yn ei lys cynhwysol O.

Ŵr cwiar wyt ti'n difaru cilio
    mewn celwydd a chwalu
  gobeithion ei galon gu;
  y gŵr rwyt yn ei garu?

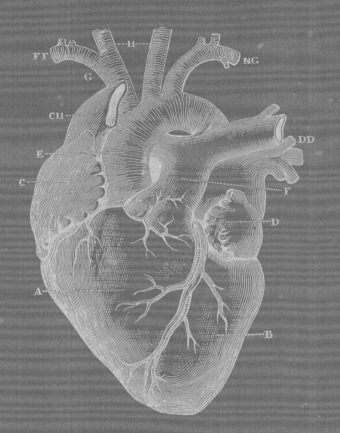

Dyrnu fatha bachgen

Mae'r label yma o 'fenyw' wastad wedi ffitio fi fatha siwmper arw, lac, ar ddiwrnod oer heb fra, neu grys-t — yn cosi a brathu, yn gwneud i mi wingo bob tro.

Yn fy arddegau cynnar, reidiais filltiroedd ar fy meic i'r siop fideo — *Bloodsports*, *Kickboxer* — yr holl *Van Dammage*; ef oedd fy model rôl ac ni welais wahaniaeth rhyngom wrth i mi daro fy nghrimog yn erbyn y postyn, drosodd a throsodd, wedi fy annog gan weddill y dosbarth, i gyflyru fy hun i gic-focsio: dyrnu, cicio, taro, gwaedu, cleisio, malu a hollti croen fy nghrimog, arogl chwerw, surol adrenalin yn hongian yn yr awyr, yn llenwi ein ffroenau, a'n pennau'n nofio, mewn pendro.

Roedd merched eraill yn arbrofi gyda cholur a lliwio gwallt — ond nid oeddwn hyd yn oed yn trafferthu brwsio fy un i, gan ei grafu yn ôl yn gynffon ceffyl. Gwisgo fy Doc Martens nes eu bod nhw'n llyfn, gwallt tywyll fy wyneb yn tyfu'n fwstás ysgafn. Merched yn yr ystafelloedd newid yn sibrwd, *'Rwy'n meddwl ei bod hi'n lesbian'.*

Y person cyntaf i mi ei ffansïo oedd merch yn fy nosbarth. Roedd yn amser mwy diniwed, fel yn nyddiadur Anne Frank (y fersiwn heb ei dorri). Dim ond yn ddiweddarach y dysgais fod hyn 'ddim yn iawn' nôl yn yr '80au, ond erbyn hynny, ro'n i'n hoffi bechgyn cyn gymaint beth bynnag; ro'n i'n rhannol 'gywir' ac 'anghywir' yn fy neurywioldeb.

Ar dîm rygbi'r brifysgol, roeddwn i'n asgellwr, yna'n gefnwr, a oedd yn fy siwtio'n well — ysgwyddau esgyrnog mawr, dim cluniau. Roeddwn i'n arf cyfrinachol — methu dal y bêl, na thaflu, na chicio, ond gwnes i *'try saving tackle'* pan oedd y tîm ar daith — cymerais ferch ddwywaith fy seis allan i *touch* — doedd neb cweit yn medru credu, ond o'n i: roedd hyn jyst mor ... fi.

●

Gwyliais raglen ddogfen am fenywod mewn chwaraeon, gyda sylwadau gan athletwyr benywaidd eu hunain — yn mwynhau'r egni 'd'[1] yn benodol — Ie! Hyn! Teimlai'n gyfarwydd; egni penodol, neu gynddaredd — cefnu'n ddi-hid ... rhywbeth ... roeddwn wedi fy mendithio neu fy melltithio gyda'r hyn roedd fy nghyfoedion benywaidd yn aml yn ddiffygiol ynddo, gan fy nghymell i gorffolaeth nad oedd yn 'normal' ar gyfer fy 'rhyw'.

●

Darllenais Iris Marion Young gyda fy myfyrwyr, a minnau erioed wedi teimlo'n llai fel merch; doeddwn i ddim yn gallu uniaethu ag unrhyw beth y dywedodd hi. Dydw i erioed wedi hidio am sylltrem eraill a ddaw i setlo arnaf, wrth i mi herio pob dim y dylwn ac na ddylwn fod.

●

1. Term a ddefnyddir fel arfer mewn modd difrïol a chas i ddisgrifio menywod lesbiaidd, ond a ddefnyddir yn y rhaglen ddogfen hon fel term wedi'i adennill, yn yr un modd ag y clywais fel aelod o dîm rygbi Prifysgol Liverpool John Moores.

Roedd fy niffyg medrau mathemategol yn fy atal rhag dilyn breuddwyd fy mhlentyndod i fod yn 'Wyddonydd'; nid oedd o bwys mai dim ond fi ac un bachgen ydoedd yn fy nosbarth — cystadleuwyr am y marciau uchaf. Ac, yn gorfforol, er gwaethaf fy nechreuad sigledig ac iechyd bregus, roeddwn yn debycach i un o ferched rhyfelgar Iris, er gwaethaf unrhyw anghymeradwyaeth. Na, yn fy achos i, roedd Iris ymhell ohoni, waeth beth fo unrhyw sylltrem, rydw i wastad wedi taflu a dyrnu, yn union fatha bachgen.

※

Ac fel nofiwr, llwyddais i gyrraedd y Senior National Squad pan oeddwn yn 13; roeddwn yn ymarfer yn gandryll — yn rasio hyd yn oed pan yn 'cicio' yn ein sesiynau dwy awr, weithiau ddwywaith y dydd, pan fyddai'r dydd yn dechrau am 4yb. Roedd y coach yn fy mhlagio, yn aml yn llafarganu, Sara! Sara!, ei ddyrnau yn yr awyr, yn smalio gwirio ei stopwats. Ond roeddwn yn hapus oherwydd fy mod i'n nofio ac yn curo pawb arall — yn ennill. Roedd hynny'n teimlo'n bwysig.

※

Roedd fy mislif yn wahanol hefyd — gormod i'w ddioddef yn eu hafreoleidd-dra dinistriol. Y dewis oedd pilsen fach arw; dwi'n ystyried tybed a fyddwn i wedi bod yn wahanol heb y dôs ychwanegol hwnnw o hormonau yn pefrio drwy fy ffrâm fy holl fywyd fel oedolyn, hyd heddiw. A fyddwn i wedi bod yn fwy o ryfelwr pe na bawn i erioed wedi ...? A yw'r 'fi gyfochrog' yn fwy ...?

※

Mewn blogbost ar wefan *Scientific American*, mae ffeithlun sy'n esbonio'r cymhlethdod syfrdanol o *gender* a rhyw biolegol; ac wrth ddilyn y llinellau, rwy'n ffeindio bod amrywiadau bach o androgenau yn medru cael eu rheoleiddio gan ... y bilsen rheoli geni ... ha! Ac roedd hi'n amlwg yn doedd?! Byddai lefelau uwch o destosteron yn sicr yn esbonio llawer ... am fy stori ...

※

Yn fy nghanol oed, rydw i wedi dod yn llawer mwy unol gyda'r 'hi/ hon' nodweddiadol, ac yng ngwawr y pwysau i ddatgan rhagenwau, yr wyf yn dewis y rhain, gan taw dyma'r unig rai rydw i wedi uniaethu â nhw'r rhan fwyaf o fy mywyd, a byddai gwyro oddi wrthynt nawr yn ... dipyn o ddatganiad; ond tybed, pe bawn yn iau, a fyddwn i wedi dewis yn wahanol? Efallai yr 'anneuol' fwy niwtral? Mae datgan yn teimlo'n anghyfforddus a fysa well gen i beidio â gorfod dweud dim, ond mae peidio â gwneud yn ymddangos yn anghefnogol, felly, yn anfoddog, rwy'n cydymffurfio. Serch hynny, hoffwn pe gallem gael gwared ar y ddeuol, ddeuaidd inni gyd jest gael enwi ein hunain yn 'nhw'.

※

Yna, yn ddiweddar, rydw i wedi bod yn synfyfyrio am pa mor 'feddal' a 'benywaidd' ydw i erbyn hyn. Rwy'n dechrau treinio i dyfu fy nghyhyrau; mae fel fy mod i'n dod yn 'fi' unwaith eto, gan fwynhau'r hyn a elwir weithiau'n 'wrywdod benywaidd'. Ac rwy'n darganfod y gallaf, o'r diwedd, osod fy hun ar yr aräe y tu hwnt i XX ac XY...

※

BRENNIG DAVIES

Y Bois ag Adenydd

Bois ger y siop gornel
yn showan off eu hadenydd:

pwyso a mesur eu hyd
â'u pwysau; pa rai
a sgleiniai fwya; pa rai
fedrai hedfan yr ucha.

Lle mae dy rai di? maent yn gofyn,
a llusgaf adre, yn llawn saim,
i boeri yn y drych, i bigo
at y 'nghnawd a gweddïo
y gwnawn nhw dyfu.

Fin nos, gorweddaf fel craith
yn y gwely, a rownd fy mhen,
hedfana'r bois ag adenydd —
yn chwerthin,
gwyn eu byd, mor finiog
â dannedd.

Hoffwn fod
yn un ohonynt;

hoffwn doddi
fel cwyr
yn yr haul.

Newid Tymhorau

Treuliais i holl nosweithiau'r gwanwyn yn breuddwydio amdani — yn fenyw ag obsesiwn, am wn i! Dechreuodd fy niddordeb pan welais i hi yn y llyn yn gynnar un bore Ebrill; ei hanadl yn codi dros y dŵr rhewllyd fel draig yn anadlu tân. Roedd ei chroen yn las, yn denau i gyd, yn esgyrnog. Pe bawn i eisiau, medrwn fod wedi cyfri pob asgwrn yn ei chorff. Ac ro'n i eisiau — wir eisiau. Eisiau gwybod am bob modfedd a chornel ohoni. Roedd 'na rywbeth amdani, rhyw egni o'i hamgylch yn fy nhynnu tuag ati, fel y crychdonnau tyner yn agosáu at ochr y llyn wrth iddi nofio. Ac er ei bod yn nofio'n dawel yn y dŵr, wnaeth ei llygaid llwyd ddim symud oddi arna i, ddim am eiliad. A doedd 'na ddim ffordd imi edrych i ffwrdd; ro'n i dan ei swyn yn llwyr o'r dechrau.

Ar ôl myfyrio cymaint amdani dros y misoedd a aeth heibio mor araf, ro'n i wedi dechrau amau fy mod i wedi ei dychmygu hi'n llwyr. Ond un noson fyglyd yn yr haf, clywais ei chwerthiniad heintus. Sut o'n i'n gwybod taw hi oedd yn chwerthin? Mae'n anodd dweud, ond roedd hi o dan fy nghroen, fel rhan ohonof fy hun. Roedd hi yng nghanol y neuadd, yn dawnsio efo'i breichiau yn uchel, yn tynnu sylw pawb efo'i hyder; yn gwneud iddyn nhw ymddwyn yn ddiofal, yn ddifeddwl, yn rhydd. Wnaeth hi ddawnsio efo fo, ac efo hi, ac efo nhw ac efo pob person oedd yna. Nid cenfigen oedd y teimlad gen i — does 'na ddim gair am sut ro'n i'n teimlo wrth ei gwylio. Ond ro'n i angen iddi wybod pwy o'n i, angen bod yn ei chwmni, bron fel pe bai peryg y byddwn farw hebddi; angen iddi gael fy nabod i'n llawn, fel pe bai hi ynof fi hyd yn oed.

Cerddais drwy'r dorf gan gadw fy llygaid arni gystal ag y gallwn, efo syched fel na theimlais erioed o'r blaen. Ond wrth i mi ddewis cadair yng nghornel bellaf y bar i archebu diod, fe'i gwelais, yn eistedd wrth y bar fel pe bai wedi bod yna'n aros amdanaf, drwy'r nos. Ond er gwaethaf fy holl freuddwydion, yn sydyn, ro'n i'n rhy boeth, yn gaeth, yn ofnus? Ella, braidd. Wnaeth hi droi ataf ac edrych i fyw fy llygaid â rhyw fath o hudoliaeth, heb adael i mi droi i ffwrdd, a gofyn efo llais clir a chroyw, 'Morcan, ia?'

Nes i edrych o 'nghwmpas, wedi drysu. Oedd 'na ryw Morcan arall yn digwydd bod yn eistedd tu ôl i mi? Chwarddodd yn garedig, gan estyn ei llaw, 'Mae 'di bod yn amser hir, ia?' Fel pe na bai wedi sylwi'r holl ddiwrnodau, yr wythnosau, y misoedd a oedd wedi mynd heibio cyn heno.

Roedd ei llaw yn teimlo'n oer yn fy un i, fel pe bawn wedi rhoi fy llaw yn syth iddi a hithau newydd godi o'r llyn. Parhaodd i edrych arna i, a phe na bawn wedi syrthio amdani'n barod, buaswn wedi syrthio'r eiliad honno; ar fy ngliniau i'w haddoli.

Ni ollyngodd hi fy llaw'r noson honno; wrth i ni siarad, ac yfed, a chwerthin, a dawnsio, a gweiddi dros y miwsig, er na chlywodd neb ond ni. A sibrwd pethau melys i'n gilydd. A dod yn nes ac yn nes ac yn … ond wnaeth hi ddal yn fy llaw trwy'r noson nes iddi ddianc fel dŵr o fy mysedd, a diflannu i'r nos.

Daeth yr hydref yn gyflym, ac er nad oedd ond yn un noson, teimlai fel haf cyflawn o garu ym mreichiau ein gilydd. Drosodd mewn eiliad. Oerodd a thywyllodd y nosweithiau, ac wrth i'r tymhorau newid eto, 'nes i fyfyrio am ei llygaid yn pefrio bob nos. 'Nes i ailfyw'r noson honno bob un noson wedyn, tan o'n i'n ei gweld hi ym mhobman; ochr arall i'r stryd, yn y car, a hyd yn oed fflachiadau ohoni mewn ffenestri, ac yn y drych yn y bathrwm, fel nad fi a safai yno, ond hi, a'i hwyneb wedi ei adlewyrchu, yn gadael imi grynu.

Parhaodd fy obsesiwn drwy'r gaeaf, gan feddwl yn sicr y byddai ei dychmygu, ei gweld yn fy meddwl, yn sicr o ddod â hi'n ôl ataf i fy nghadw'n gynnes. Ni allwn fod wedi byw hebddi hi am lawer hirach — hi oedd yr unig beth o werth imi fyw drosti. Ond ro'n i wedi ei cholli hi. Ac efo hi, collais fy nghwsg, fy chwant bwyd, collais bwysau nes fy mod yn afiach. Collais. Fy. Hun.

Ond un bore, ro'n i'n cerdded wrth y llyn. Roedd haul y gwanwyn wedi dechrau codi, yn taflu ei belydrau hardd ar draws y dŵr i gyd. Ac yna, wir, wrth i mi edrych at y llyn, mi 'nes i ei gweld hi'n edrych yn ôl arna i o'r tu mewn i'r dŵr! Roedd hi wedi bod yna'r holl amser, yn aros amdana i! Sut nad oeddwn wedi meddwl edrych amdani yma yn y lle cyntaf? Am ffwlbri. Ffwlbri. Ffwlbri. Ffŵl!

A heb feddwl, tynnais bant fy siwmper, fy nghrys-t, fy esgidiau a fy sanau a throwsus a phopeth arall — wir! Doedd gen i ddim meddwl yn y byd heblaw am neidio i'r llyn. I'w hachub? I'w chymryd hi yn fy mreichiau unwaith eto? Do'n i ddim wedi meddwl mor bell â hynny. Ro'n i'n ymddwyn yn hollol reddfol.

Roedd o'n oer ac yn dywyll o dan y dŵr, ac ro'n i'n chwilio am funudau amdani, yn cicio ac yn sblasio'r dŵr efo fy nghymalau tenau a oedd yn newid i las efo'r oerfel. Ac er i mi ei gweld hi mor eglur cyn imi neidio, yno, yn edrych yn ôl arna i, ei llygaid yn pefrio, doedd gen i ddim gobaith o'i ffeindio hi yma.

Ar ôl amser, arhosais yn dawel yn y llyn, fy anadl fel stêm dros y dŵr wrth i mi orffwys. Ac yna, wrth ochr y llyn, gwelais fenyw yn cerdded. Eisteddodd i lawr, ar goll yn ei meddyliau, a 'nes i sylwi bod yna rywbeth cyfarwydd amdani na allwn ei fynegi'n hollol, ond ar ôl ystyried ei hwyneb, 'nes i sylwi bod hi'n atgoffa fi ohonof i fy hun. Fi fisoedd yn ôl, blwyddyn ella? Cyn i mi golli fy hun iddi Hi. Ac yn sydyn, 'naeth y fenyw weld fi yn y dŵr, a 'naeth hi edrych arna i heb dynnu ei golwg am yr un eiliad, wrth i mi nofio'n dawel yn y llyn; fy llygaid llwyd yn sownd arni, heb fedru, nac eisiau, edrych i ffwrdd.

Yn Burger King so ni'n bwyta

Ry'n ni'n sipian Fanta fflat drwy'r un gwelltyn,
yn gwylio pobl yn llyfu mayo oddi ar eu bysedd.
Mae caneuon pop yn craclo drwy'r seinyddion.
Mae fy nghlunie yn lledaenu ar finyl coch,
mae'i chroen hi'n dynn, wedi'i ddwsto gan wallt golau mân.

Yn y stafelloedd newid yn Topshop,
mae 'da ni'r uchafswm o ddillad 'y ni'n cael.
You're tiny. Ry'n ni'n newid â'n cefne at ein gilydd.
Mae'n pipian arna i yn slipo Joni jîns dros fy mhen-ôl.
Fi, ymhlŷg wrth ei chefn, pan mae'n newid ei thopie.

Are you hungry? Mae'n ysgwyd ei phen. Me either.
Mae'n cymryd llond ceg o iâ
o'r gwpan Fanta, yn stico ei thafod mas.
Gwyliaf hi'n cronni, yn goferu dros yr ymylon.
Mae hi'n rhedeg ei bysedd dros ei choler.

Ry'n ni'n gadael y parti traeth yn gynnar,
mae'r môr yn borffor tywyll. Ry'n ni'n cwrso'r
llanw sydd yn nesáu ar hyd y forlin greigiog.
Fodca o'r botel mewn swigie sydyn.
Y dref gyfan tu ôl inni, yn befriol, yn eiddo inni.

Pan mae'n tywyllu, mae'n ildio. Wy'n dilyn.
Ry'n ni'n rhwygo'r cydau papur ac yn gwasgaru chips ffresh
mewn un domen aur. Yn dwyn Chicken Royales sydd wedi hanner eu bwyta
a Whopper Burgers a adawyd o'n cwmpas.
Cetshyp ar ei gwefus isaf, ôl y blas ar fy nhafod inne.

~~Straeon~~

Stori am ffenest wedi gorchuddio mewn dwst, a phroses araf a gofalus un person, un dydd, yn ei weipio'n glir, ac yn ail-ddarganfod y teimlad o wylio byd yn mynd heibio;

stori am fachgen yn gorwedd ar fainc, gerddi eglwys yng nghanol dinas, y presennol neu rywle tebyg; mae'r bachgen yn fyw neu mae wedi marw, mae'n gynnar yn y bore neu mae'n hwyr yn y nos, falle bod hi'n ddechrau hydref, ond mae'n gynnes, mae glitter neithiwr ar ei wyneb, does neb arall o gwmpas, mae'r bachgen yn deffro i sain llais dwfn yn canu, rhywbeth crefyddol, dydy'r bachgen ddim yn adnabod y gân na deall y geiriau ond mae'r bachgen yn teimlo'n sydyn er gwaetha'i sefyllfa anffodus, neu drawmatig, ei fod yn fyw, mae hi'n fore newydd, mae hi'n fore, mae hi'n newydd;

stori am grŵp o bobl ifanc ar draeth mewn rhyw ran guddiedig o'r blaned, yn aros i rywbeth ddigwydd iddynt;

stori am y frwydr ddyddiol o geisio ffeindio'r amser;

stori am fachgen sy'n teimlo popeth a fu iddo deimlo erioed ar unwaith, ac sydd, o ganlyniad, yn colli'r gallu i deimlo unrhyw beth;

stori am berson sy'n gorddefnyddio'r gair queer, sy'n cyfiawnhau pob dim mae'n ei wneud sy'n sarhaus, neu'n amheus, neu'n ddiog, gan esbonio mai strategaeth queer ydyw;

stori o'r enw 'Dechrau Rhywbeth', am fachgen ar drip gwaith mewn dinas dramor (nid oes wir ots pa ddinas), yn cael rhyw gyda chwpwl priod yn eu fflat, ac yn sylweddoli'n raddol bod y cwpwl yn cyrraedd diwedd eu perthynas;

stori am gymeriad sy'n llwglyd am gamddealltwriaeth;

stori am ferch sydd yn awchu am lai o bopeth;

stori am gi bach mewn gardd ar ddiwrnod cynta'r gwanwyn, yn profi pleser arogl aer ffresh a grym egnïol gwlith am y tro cyntaf;

stori am berson ifanc yn darganfod pentwr o hen rifynnau'r cylchgrawn Gay Sunshine mewn atig, sy'n troi'n stori am deithio trwy amser, a gogoniant, a galar;

stori am ddau berson sy'n breuddwydio ar yr un pryd am ddarganfod cyfandir newydd sy'n anial heblaw am eiriau, mewn iaith estron, wedi eu cerfio'n y tir;

stori am blentyn sydd, un dydd, yn dechrau rhestr o bopeth maen nhw'n gwybod; yr infentori hwn yw ffurf y stori, wrth i'r rhestr adeiladu dros oes bywyd — caiff ei hehangu a'i hadolygu gyda phob darganfyddiad newydd a theimlad newydd a gronyn newydd o wybodaeth i'r plentyn brofi;

stori am gyfres o straeon posib, sydd o reswm yn stori am straeon nad sy'n bodoli, sydd fwy na thebyg ddim yn stori o gwbwl, ond sy'n rhywbeth fel rhestr, neu nodiadau ar bapur tusw mewn caffi, neu mash-yp o gan cân i ti eu hanner-clywed unwaith;

stori am fan wen tu allan i dŷ, sydd fel petai erioed wedi symud, wrth i'n protagonist edrych ar y fan o'i ffenest, y tymhorau'n mynd heibio;

stori am berson sy'n credu, sy'n stori am anghredineb, ar ffurf stori garu, sy'n gorffen gyda rhyw fflach annisgwyl o drais, sy'n gadael ffawd y person sy'n credu yn amwys;

stori sy'n gofnod o'r hyn sy'n digwydd yn nychymyg bachgen yn ei stafell wely yn y 2020au pan mae'n gwylio ffilm hoyw o'r 1970au, yn teimlo cysylltiad rhyngddo fe a'r cyrff ar y sgrîn, rhyw ddealltwriaeth o'r newydd o'r berthynas rhwng y cof a'r ddelwedd a'i fodolaeth ef ei hun;

stori am fachgen yn cysgu gyda hen ddyn er mwyn cael y cyfrinair wi-fi ar gyfer ei fflat, sydd uwchben siop goffi (sydd ddim yn cynnig wi-fi am ddim), lle mae'n hoffi gweithio ar ei laptop, sy'n troi'n stori am ddatblygiad perthynas dyner, sy'n gorffen gyda marwolaeth yr hen ddyn, sy'n gadael y fflat, ond ddim y bocs wi-fi, yn ei ewyllys i'r bachgen;

stori am olau, sy'n stori am ddiffyg cymhlethdod;

stori am dywyllwch, sy'n stori am y cysyniad o rym;

stori am berthynas rywiol rhwng tri pherson, sy'n stori am flerwch, a blinder, a chysur;

stori am grŵp o ffrindiau'n dod at ei gilydd i ddyfeisio iaith newydd, gyda llythrenneg gwbwl newydd, a chystrawen a rhesymeg ramadegol gwbwl newydd, wrth iddynt ddechrau adeiladu geiriadur o'r iaith honno, sy'n troi'n stori am anobaith, ac anghytundeb, a siom;

stori am chwyldro, sy'n stori am awyr iach, ac ymdrochi yn nŵr y môr, ac anadlu'n ddwfn;

stori am ddau fachgen yn meddwi ar goctêls drud a rhedeg i ffwrdd heb dalu, rhedeg a rhedeg trwy strydoedd y ddinas, ond i sylweddoli, ar ôl ychydig, eu bod nhw wedi colli ei gilydd, wedi rhedeg lawr strydoedd gwahanol, a byth yn gweld ei gilydd eto;

stori wedi ei hadeiladu o frawddegau cyntaf gwahanol straeon;

stori am 'ddim byd' (a phopeth);

stori am 'bopeth' (a dim byd);

stori am ddynes yn cerdded o gwmpas pentref dros un noson ddiddiwedd yn chwalu ffenestri pob tŷ a phob car mae hi'n gweld, gan ganu wrth wneud (nid oes ots pa gân, ond ei bod hi'n cyferbynnu mewn rhyw ffordd â helyntion y ddynes);

stori am grŵp o bobl ifanc yn glanhau strydoedd pentref o ddeilchion gwydr miniog, ac yn fflyrtio, a dod yn agos, a chreu atgofion;

stori am ffenest sy'n dechrau teimlo teimladau;

stori am berson sy'n penderfynu un bore i beidio esbonio unrhyw beth, byth eto, sy'n stori am eglurder, a glendid, a phosibiliadau newydd;

stori am ddiwedd cyfnod, a dechrau rhywbeth arall.

RICHARD CROWE

Ci'r Llofrudd

Pan dwi'n meddwl am Gaerdydd,
dwi'n meddwl am y llofrudd drws nesaf
a laddodd ei gyfaill yn y seler, ryw nos Sadwrn,
am arian i dalu dyled cyffuriau.
Rholio'r corff mewn rŷg
a mynd ag ef o Grangetown yng nghist ei gar
a'i losgi ym maes parcio Clwb y Lleng Brydeinig
yn yr Eglwys Newydd.

Cyn iddo droi'n llofrudd,
bu'n gymydog imi.
Rhown fwythau i'w gi bach â phawennau mawr,
wrth wrando ar hanes trist ei ymadawiad â'i wraig
a oedd yn dal i fyw yn y Rhath.
'Women' meddai, 'can't live with them,
can't live without them'.
O droi 'women' yn 'men', ymresymais wedyn
y gallaswn amenio,
ond cytuno â gwên a wneuthum,
gan ymguddio rhag y dieithryn drws nesaf.

Tyfodd y ci bach yn gi mawr
a udai drwy'r dydd o hiraeth am ei feistr.
Rhedai yn ôl ac ymlaen ac o gwmpas yr ardd fach chwynnog
fel creadur ag ysbryd aflan ynddo.

Daeth dau blismon i'r tŷ i'm holi,
a chyn iddynt fynd, holais am y ci,
oedd bellach yn ubain gydol y dydd ac ar hyd y nos.
A oedd rhywun yn gofalu amdano?
Yn rhoi bwyd a dŵr iddo? Yn rhoi mwythau iddo?
'Bydd y ci yn iawn,' meddent.
'Rydyn ni wedi gwneud trefniadau.'

Rhagderfynedig

Mae'r dŵr yn rhewi rhyngddom
fel ffrwd afon oer ei fyd,
sy'n taro creigiau anweladwy
o dan arwyneb glas a llwyd.

Ymbellha'r glannau gyferbyn
efo'r bont iâ wan, newydd,
mor brin a bregus wrth ddyfod
a ninnau'n ceisio cwrdd.

Yng nghanol tonnau anwastad,
ceir peryglon cysurus
a wthia i fyny wrth ein traed,
yn disgwyl yr haul a'r enfys.

O'r haf a allai ddilyn
taith ar draws brociau serch,
ceir angen tyfu tusw eirlys
a dileu cofion cyrch.

Ond mi ydym ni yn llon
efo'n gilydd mewn niwl cymylog,
wrth i'r llifeiriant ymosod
o'r gwaelodion danheddog,

ac efo oerni'r dyfroedd berwedig,
daw'r gwanwyn ar ddaear.
Mi'th gollaf dithau'n syth
yng ngolau cynnar y wawr.

Mi ddengys ein gaeaf ni
gariad breuddwydiol
rhwng ceulennydd angau
a gobeithion dyfodol.

Y Cylch Darllen

'Croeso i bawb!' oedd addewid naïf y poster.

'I'll be the judge of that,' heriodd hithau.

Ddechrau Hydref fentrodd hi mewn am y tro cyntaf, a brathiad cynnar y gaeaf ar y gwynt. Oedodd i edmygu'r rhes o sowldiwrs bytholwyrdd oedd yn gwarchod Canolfan Pen-Rhiw. Safent yn falch, yn gwrthod ildio i'r tymhorau.

'Croeso, cariad,' lledodd y pen cyrls ei breichiau boncyff yn hunanbwysig.

Seriously? Fasai hi ddim yn gariad i hon tasen nhw'r ddwy olaf ar y blaned. Ond waeth iddi gyfaddef rŵan iddi ddychmygu'r posibilrwydd o gyfarfod rhywun yno.

Gosodai'r arweinydd ugain cadair, yn gylch cyflawn, bob nos Iau cynta'r mis. Er na ddaeth mwy na ryw saith neu wyth yno erioed. A Carys fyddai'n dewis y llyfrau hefyd, wrth gwrs. Doedd 'na ddim trafod ar hynny, dim ond ar y llyfrau dethol. Ac roedd pawb wedi derbyn y drefn, hyd yma.

'Iawn, Carys. Wrth gwrs, Carys. Ffantastic, Carys.' Brefodd y cylch.

'Hoffwn i chi groesawu aelod newydd i fy ... ein cylch darllen,' cyhoeddodd Ffantastic Carys. 'Ma' hi newydd symud yn ôl yma ... 'ta dach chi'n un o'r bobl nhw 'ma?'

A dyna'r union agwedd roedd hi wedi disgwyl dod o hyd iddi yma. Er na allai wadu iddi deimlo rhyw barch budr am hyd yn oed ystyried y cwestiwn.

'Buddug dwi.' Synnodd ei hun efo'r ateb. Bud i bawb oedd hi ym Manceinion. Gwyddai o ganol ei harddegau mai dim ond yn y ddinas y gallai fyw'r bywyd a guddiai rhwng cloriau Diva. A phan dderbyniwyd hi ar y cwrs English Lit, gwnaeth yn siŵr bod ei gwallt byr, yr army jacket ail law, y piercings, hyd yn oed ei hoff gwrw, i gyd on brand. Gallai ffitio. Erbyn hyn, gwelai ei bod wedi treulio'i chyfnod yno yn gwisgo côt rhywun arall.

'Pam ddois di nôl i fama?' Sibrydodd Awel efo anghrediniaeth rhywun oedd erioed wedi trïo goroesi mewn dinas. Aeth ias annisgwyl drwyddi a thynnodd lewys ei chôt i lawr dros ei harddyrnau. Does 'na ddim byd fel blanced adra. Yn gwella ac yn gwasgu fesul pwyth.

Ceisiodd ei darllen. Daliodd ei llygaid am ryw eiliad neu ddwy yn rhy hir gan yfed bob manylyn ohoni. Roedd swildod hamddenol yn ei chylch. Ac mi syllodd hithau yn ôl, reit i fyw ei llygaid. Toddodd Buddug yn yr amwysedd blasus. Pan roedd Awel wrth ei hymyl, teimlai'n fwy fel hi ei hun.

Gwingodd wrth sylweddoli bod y cylch gwyn, canol oed, yn syllu arni, yn awchu am ymateb. A hithau heb hyd yn oed drafferthu i ddarllen llyfr llwyd y mis yma. Daeth yn boenus o ymwybodol nad oedd wedi gwrando llawer ar y drafodaeth, heb sôn am gyfrannu. Paniciodd. 'Pam da chi'm yn darllan wbath ffycing gwahanol?' Taflodd y rhyfelwraig ei grynêd o reg i ganol y cylch a'i gwylio'n glanio ar glustiau. Gallai daeru iddi glywed y pwffian bach tawelaf yn codi o ysgwyddau Awel. Dechreuodd ambell un anesmwytho yn eu cadeiriau plastig.

'Creu stŵr mae pobl fatha chi bob amser,' ceisiodd Carys ailsefydlu ei hawdurdod.

'Pobl fatha fi? Be — hoyw?'

'Ifanc.'

'O, deffrwch. Da chi'n darllen yr un hen lyfrau, efo'r un cymeriadau yn deud yr un straeon dro ar ôl tro a da chi'm hyd yn oed yn sylwi. Da chi'n meddwl bo chi mor ddiwylliedig ond da chi jesd yn mynd rownd a rownd mewn cylchoedd.'

Roedd ei chalon yn curo'n gynt nag erioed er bod pawb arall fel petaent wedi rhewi yn eu hunfan. Teimlodd yr hen banig yn crafangu. Lle ddiawl oedd Awel pan roedd ei hangen hi?

'Iawn 'ta.' Llyncodd Carys yr her a'i phoeri yn ôl ati. 'Dewiswch chi'r llyfr nesa, ar bob cyfri.'

●

Roedd 'na lwyth o lyfrau y gallai … yn doedd? Dechreuodd dyrchu'n wyllt drwy'r silffoedd. Dim ond un oedd angen i newid petha. Roedd hi mor siŵr o hynny. Hyrddiodd y cyfrolau fesul un fel cyrff oddi ar bont. Chwalwyd y clasuron ar hyd maes y gad. Roedd hi yma'n rhywle, dim ond iddi ddal i chwilio, roedd rhaid ei bod hi yma.

Hon oedd hi! Cythrodd ati'n fuddugoliaethus: *Curiadau: Blodeugerdd LHDTC+*. Trodd ei thudalennau'n orffwyll. Doedd y peth yn gwneud dim synnwyr. Byseddodd yn gynt drwy'r diffeithwch. Rhwng ei chloriau lliwgar, doedd dim ond gwagle, distaw, glân. Teimlodd eu bwledi edliw yn rhwygo drwy'i chnawd. Allai hi ddim gadael iddyn nhw weld hyn. Stwffiodd y llyfr dan ei chôt a dianc.

Rhedodd i ben y llwybr cul heb feiddio edrych yn ôl. Doedd ganddi ddim egni i ymladd dim mwy. Ildiodd yn erbyn y goeden bellaf a rhwbio'i dwylo'n galed i lawr y rhisgl garw. Gadawodd i sgrech gyntefig dywallt ohoni, yn ddicter, yn alar, yn ofn. Golchodd y blinder trymaf drosti. Plygodd mewn anghrediniaeth a theimlo corneli'r flodeugerdd yn hogi dan ei hwdi.

'Be nei di, rŵan?' Tybiodd iddi glywed llais Awel yn y gwynt.

Anadlodd yn ddwfn, a thorchodd Buddug ei llewys yn benderfynol.

'Sgwennu.'

ALYS HALL

am wastraff

am wastraff, dywedodd,
fel pe baem ni'n bodoli
iddyn nhw a'u pleser

fel pe bai bob merch yn adnodd
i'w wario, a gaiff ei gwastraffu
os dyw hi ddim i'w defnyddio,
os dyw hi ddim dan ddyn

gallaf garu merched
fel y mynnaf

hardd yw cael
caru'i geiriau
a'i gwên heintus

hardd yw cael
caru'i llygaid brown
a'i gwallt melys

mae'n wastraff dy fod
yn llygru'r ddaear
gyda dy gelwydd
yn llygru'r aer
gyda geiriau gwenwynig.

Cyw

RHAN I

O ffenest 'yn 'stafell wely ar y degfed llawr o'n i'n gallu gweld pethe rhyfeddol. Cestyll ysblennydd, brogaod ffyrnig, a thywysogion golygus yn hela llygod mawr, enfawr. 'Yn nghyfrinach i oedd yr olygfa hon. 'Yn ngolygfa i.

Dim ond unwaith 'nes i fentro rhannu gydag unrhyw un 'yn fersiwn i o beth o'dd tu hwnt i'r gwydr. Wennodd 'yn fam ar ôl i fi ddisgrifio'r bwrlwm llachar. Y cwbwl o'dd hi'n gallu 'i weld o'dd blocie a blocie o fflatie ... 'Tria 'to!' ... dynion ar eu ffordd adre o'r ffatri ... ''Drycha!' ... plant drygionus yn crwydro'r strydoedd ... 'Plis!' ... a char yr heddlu yn cadw llygad barcud ar y bobol bach.

'Mae dychymyg bywiog iawn gyda dy fab, Mrs. Gabuzov,' wedodd 'yn athrawes wrth Mam un diwrnod.

Oes, Hen Wrach. Bywiog iawn.

●

Bydde'r ffatri'n cau bob haf am bythefnos a bydde Mam a finne'n gadael Moscow. Codi pac a dal y bws ger y farced i fynd i aros 'da Tada a Nana am wylie prin. O'n i ar bigau'r drain pob cam o'r ffordd. Heibio'r ysgol, heibio'r ysbyty, y tai crand gyda gerddi mawr, ac allan ... allan i'r awyr iach a'r cefn gwlad.

Roedd 'yn nhadcu a'n famgu'n ffermio darn o dir ar gyrion y ddinas. Roedd y tyddyn yn gartre perffeth i fachgen o'r ddinas gyda 'dychymyg bywiog'. Roedd cant a mil o bethe i'w gwneud yno. Angenfilod i'w maeddu. Mynyddoedd i'w darganfod. Moroedd i'w nofio. Ac ar ôl cinio roedd rhaid i rywun fwydo Bwtch yr afr hefyd.

'Dere 'da fi nawr, Cyw. Ma' isie casglu'r wyau.'

Bob bore bydde Nana'n gofyn am 'yn help i gasglu'r wyau. Roedd dwylo'r ddau ohonon ni'n ddigon fach i estyn i mewn i'r cwb a dwyn yr wyau bychain twym heb ormod o drafferth.

O'n i'n dwlu ar y sawl iâr oedd yn dodwy i Nana. O'n i wrth 'yn fodd yn eu gwylio nhw'n cerdded ar hyd y buarth am orie hir. Yn dychmygu beth yn gwmws o'n nhw'n 'i weud wrth 'i gilydd … clwc, clwc … pa gynllwyniau o'n nhw'n creu … clwc clwc … a'r clwcs o'n nhw'n hel tra'n cerdded i fyny ac i lawr eu milltir sgwâr.

Eira o'dd 'yn ffefryn. Iâr fawr ddu oedd 'yn atgoffa fi o'r fenyw o'dd yn darllen y newyddion ar y teledu bob nos. Eira o'dd bós y teulu bach o ieir. Y frenhines. Y brifathrawes. Y don. Eira o'dd yr un i arwain y ffordd bob tro, i dorri dadl, ac i warchod y cywion bychain rhag y cathod o'dd yn byw yn y sgubor.

Gwybodus, caredig, teg … Roedd Eira'n berffeth. 'Nana? Wyt ti'n caru Eira cymaint ag ydw i?' Edrychodd Nana arno i'n dwp. 'Cyw …? Pam fydde unrhyw un yn caru iâr?'

Y noson cyn i ni ddychwelyd i Foscow, nath Nana baratoi swper arbennig i ni. Roedd y cig yn dyner ac yn blasus.

Y bore trannoeth, sylwes i fod Eira 'di diflannu.

Lefes i'r holl ffordd adre.

RHAN II

'Dwi'n dweud 'tho ti, Cyw. Ti'n mynd i newid y byd rhyw ddydd.'

Roedd ymgyrchwyr 'di bod yn annog pobol i gymryd rhan yn y brotest ers dyddie. Roedd Blodyn wedi clywed bod Cadno — pishyn o'dd e 'di bod yn cwrso heb unrhyw lwc o gwbwl ers wthnose— yn mynd i fod yno. Felly, o'dd rhaid i ni fynd 'fyd.

Hon o'dd 'y mhrotest gynta. Wthnos yn gynharach oedd y Maer 'di canslo'r orymdaith Pride. Yr orymdaith gynta o'i math yn y ddinas. O'n i 'di clywed si bod carfan o bobol yn bwriadu cyflwyno deiseb yn ymbil arno fe i ail-ystyried. Ond o'n i ddim 'di bwriadu ymuno â nhw nes bod Blodyn 'di erfyn arno i i gadw e'n cwmni tra bod e'n sediwsio'i ddarpar ŵr.

Doedd dim sôn am Cadno pan gyrhaeddon ni'r man ymgynnull. Dim ond rhyw hanner cant ohonon ni o'dd wedi mentro allan i neud safiad.

O'n ffenest ar y degfed llawr, o'n i 'di dychmygu byddin o ddynion hoyw a lesbiaid yn cerdded strydoedd Moscow yn swyno'r mwyafrif o'dd yn ein casáu ni. Dim byddin. Llond bỳs, falle.

Roedd y newyddion bod criw o cwiars yn bwriadu galw ar y Maer 'di teithio'n bell … O'r stafelloedd bychain lle o'n i a'n ffrindie'n mynd i ddanso bob Nos Sadwrn i stafelloedd byw teuluoedd parchus. O ganlyniad, roedd cynulleidfa fawr 'di ymgynnull i'n croesawu ni. Ond nid cynulleidfa gyfeillgar oedd hon. Ac i brofi hynny, 'nath un neu ddau ohonyn nhw ddangos 'u dannedd.

Chwythodd y gwynt yn gryf.

Wrth i ni gerdded, ddechreuodd y gynulleidfa weiddi enwau. 'Nes i ddal llaw Blodyn yn dynn. Gweiddodd y gynulleidfa'n uwch. Roedd pobol o bob lliw a llun wedi dod i'n sarhau ni. Dynion ifanc, gwragedd tŷ, plant ysgol, a'r heddlu … ond yn y rhes flaen, o'dd criw o hen fenywod … ac oedd 'da phob un ohonyn nhw fasged.

Roedd Nana 'di defnyddio basged debyg ar y fferm … basged i gasglu …

Cododd un hen fenyw 'i braich …

Edryches i lan i'r nefoedd a ddechreuodd e fwrw … wyau.

Nath yr wŷ cynta daro Blodyn ar 'i ysgwydd. Gwympodd yr ail wrth 'yn nhraed. Roedd yr wyau'n cwympo fel arfau o awyren yn hedfan uwch ein penne.

Bang! 'Nes i gamu i'r chwith … Bang! Symudes i i'r dde … Bang! Jwmpes i i fyny. Bang! O'n i'n symud i bob cyfeiriad i osgoi cael 'y mwrw. Edrychodd Blodyn arno i. 'Hei! Mae Cyw yn dawnsio! Dawnsio.' Ac fe o'n i. O'n i'n dawnsio fel o'n i'n dawnsio bob Nos Sadwrn gyda'n ffrindie — 'yn nghariadon — y bobol ddewr o'dd yn gwrthod cuddio.

Ro'dd y gerddoriaeth yn uchel. Uchel ac yn brydferth. Mor brydferth nath y gerddoriaeth ddwyn perswâd ar Blodyn a'r lleill i ddechre dawnsio hefyd. Dawnsio, a dawnsio, a wyau'r hen fenywod yn cwympo o'n gwmpas ni fel glaw mawr melyn.

Yna, ddaeth y dyrne, dyrne'r dynion gyda'r penne moel … Bang! Bang! Daeth y dawnsio i ben.

●

O ffenest yr ysbyty, ar y degfed llawr, weles i deigrod yn chwarae yn y caeau, draig yn nofio yn yr afon, ac ieir prydferth yn hedfan trwy'r cymyle.

Roedd yr awyr yn las.

Cacan Ffenast

Dwi'n dechrau difaru dewis fan 'ma. Caffi hen ffasiwn. Ond ddim mewn ffordd cŵl. Hen ffasiwn fel camu i fewn i gegin nain. Arogl te tramp, pwdin reis, a tinned peaches. 'Neith fan' ma?'

Dydi hi ddim i weld yn poeni. Mae hi'n tynnu ei siaced cyn i fi ateb, cyn gollwng y melfaréd oren yn ddiymdrech o daclus dros y gadair. Eistedd. Croesi ei choesau. A dechrau stydio'r fwydlen fel gwenynen ar flodyn haul.

'Gei di ista 'sdi,' mae hi'n edrych i fyny arna i. Tamprwydd tu allan fel gwe pry cop ar hyd ei chyrls.

'O, ia. Sori,' medda fi, yn baglu ar fy ngeiria cyn baglu am y gadair. Mae'r bwrdd yn llai nag oeddwn i wedi ei ddisgwyl. Mae hi reit o fy mlaen i. A dwi'n teimlo'n rhy agos. 'Ti am dynnu dy gôt ta?'

'Na,' medda fi, yn rhy sydyn. Mae hi'n dal fy llygaid, yn disgwyl i fi ddweud mwy, 'jyst braidd yn oer.'

Mae hi'n troi ei phen i gyfeiriad y tân sy'n clecian yng nghanol y caffi. A dwi'n dechrau chwysu. Ond dydi hi ddim yn dweud dim byd mwy am y peth. Mae hi'n sbïo o'i chwmpas ar y llieiniau sgwarog coch a gwyn. Y doilis fel plu eira plastig dros y byrddau. A chwpanau a soseri blodeuog yn clincio heibio ar hambyrddau pren, sigledig. Mae hi'n troi yn ôl at y fwydlen wedi'i lamineiddio yn ei dwylo.

'Ma' fan' ma'n ciwt.' Mae hi'n swnio'n ddidwyll. Dwi'n penderfynu ei bod hi o ddifri. Achos mae'n rhaid i fi ddechrau'n rhywle.

'Dwi'n falch bo' chdi licio fo,' dwi'n mentro, 'o'n i jyst yn meddwl 'sa fo'n chênj. Dwi 'di ca'l digon o fynd ar ddêts mewn …'

'Be fedra i ga'l i chi, genod?' Crys gwyn. Ffedog gingham. Beiro fel gwn-cychwyn-ras yn barod i sgriblo. Ac mae'r 'genod' yn brifo.

Dwi'n ei gweld hi'n mynd trwy ei harcheb. Yn mwytho'i chyrls tu ôl i'w chlust bob hyn a hyn. 'Ga i'r un peth, plis?' medda fi heb sbïo ar yr un sy'n sgriblo.

Ar ôl i'r sgriblo stopio, mae hi'n rhoi'r fwydlen i lawr ac yn dechrau siarad. A dwi'n trïo gwrando. Yn trïo dal gafael ar y geiriau a'r synau bodlon, braf sy'n dylifo o'i cheg. Eu defnyddio nhw fel armbands i stopio'r 'genod' rhag fy ngwthio o dan don drwchus o ddŵr anghynnes sy'n fy ngwneud i deimlo'n bell i ffwrdd o bob dim. Dwi'n gafael yn fy nghôt a'i lapio yn dynnach amdana i. Mwytho gwead garw'r zip. Yn ysu i atgoffa fy nghorff fy mod i yma. Ond mae'r don yn llarpio ei geiriau hi. A'r cyrls yn troi'n wymon annelwig, pell.

Clep. Plât ar y bwrdd. Fel symbal. Dwy gwpan a soser yn tincial deuawd fregus. Tebot mewn gorchudd gwlanog bob lliw. Dwi eisiau codi'r caead a phlymio i mewn i'r dŵr poeth. Arnofio'n ddigyfeiriad hefo'r dail te a thoddi fel siwgwr lwmp yn ddisglair, yn gyflym, i ddim.

'Ti licio cacan ffenast 'fyd 'lly?' Ei chwestiwn yn herio'r don. Mae hi'n gwthio plât tuag ata i. Darn sgwâr o sbynj rhy llachar yn gorwedd rhwng stribedi rhy dew o farsipan melyn. 'Dwi'n meddwl,' medda fi, gan fentro tynnu fy nwylo oddi ar ddefnydd fy nghôt, 'Heb ga'l un ers dalwm.' Dwi'n tynnu'r blât yn nes ata i. Mae gweld ei chyffro wrth barablu am ei charwriaeth hir gyda chacenni o bob math yn teneuo'r dŵr o fy amgylch ryw fymryn. Dwi'n tynnu fy mys ar hyd y marsipan. Y siwgwr mân yn cosi fy nghroen. A'r teimlad yn atgoffa fy nghorff fy mod i yma.

Mae hi'n codi'r sgwâr drwchus, ddeuliw. A dwi'n disgwyl iddi frathu yn syth i fewn i'r sgwariau pinc a melyn. Ond yn lle hynny, mae hi'n plicio'r marsipan oddi ar y sbynj fel croen tanjarîn. Ei godi'n ffrâm felys, berffaith, a'i ailosod ar y blât. Yna, mae hi'n rhwygo'r sbynj yn ei hanner. Yn ofalus ond hyderus. Mae hi'n codi un hanner yn nes at ei gwefusau. Eiliad o ryfeddu. Cyn taenu ei thafod ar hyd y jam bricyll. Llyfu'n awchus, yn anniwall. Fel pe bai hi adref.

Ac mae'n rhaid fy mod i'n licio hynny. Achos dwi'n teimlo fy mysedd yn pwyso'r marsipan. Y siwgwr bellach fel gwydr yn suddo dan fy ngwinedd.

A dwi eisiau plicio'r gôt flêr, rhy-fawr yma oddi arna i. Dwi'n dychmygu fy hun yn gwneud. Yn codi a'i lluchio dros y gadair. Eistedd, heb gau fy mreichiau amdana i. Yn llac ac yn braf heb guddio. Cyn sglaffio'r sbynj fel pe bai neb sy'n malio yn gwylio. Dim ond y hi.

'Ti'n siŵr bo' chdi licio hi?' Mae hi'n gwenu'n amheus rhwng llyfiadau dyfn o'i bysedd gludiog. Ei gweflau jam bricyll a'i bysedd siwgwr almon yn sgleinio. Dwi'n edrych i lawr ar fy llaw yng nghanol y briwsion pinc a melyn.

'Yndw. Dwi'n siŵr,' medda fi, cyn meiddio tynnu zip fy nghôt i lawr ychydig. Torchi fy llewys yn ofalus. Eiliad o ryfeddu ar y fodolaeth ddiymddiheuriad o fy mlaen i. Suddo i'r ffenest lachar a fy nghorff yn ochneidio, 'dwi yma'.

Ydi pawb ddim chydig bach yn bi?

Doedd yna ddim ffanffer,
ni waeddais i o'r to.
Ddwedais i fawr ddim wrth neb,
a dyna fo.

Roedd cariad fel y lleuad,
a minnau'r llanw a thrai,
a chredais i am gyfnod
fod pawb chydig bach yn bi.

Onid oedd pawb yn y byd
yn hoffi glaw a hindda?
Onid oedd pob merch arall
yn meddwl am ferched weithia?

Ond des i ddysgu'n sydyn
bod fy theori yn un frau.
Mae rhai yn hoffi glaw neu haul;
anaml iawn y ddau.

Ac felly does dim ffanffer,
dim ond derbyn, mwy neu lai,
nad pawb sy'n hoffi merched,
ond mai fi sydd bach yn bi.

Gyda Gwên

Wyt ti'n cofio'r sgwrs 'na gaethon ni yn y caffi yng nghanol y dre, ugain mlynedd yn ôl, pan oeddet ti am wybod sut brofiad fuodd 'dod mas' i fi?

Doeddwn i ddim wir wedi meddwl ryw lawer amdano cyn hynny. Roedd dod mas yn rhywbeth roeddwn i wedi mynd drwyddo. Rywbeth oedd wedi digwydd. A dyna ni. Rywbeth oedd yn perthyn i'r gorffennol.

Ond fe sylweddolais y prynhawn hwnnw, wrth sgwrsio yn y caffi yng nghanol y dre, gymaint o effaith roedd e wedi'i chael arna i mewn gwirionedd.

Pan ddes i mas, dri deg pump o flynyddoedd yn ôl erbyn hyn, fe ges i fy siâr o watwar a dirmyg — gan gyd-fyfyrwyr yn y brifysgol yn gymaint â neb. Oedd yn siom. Dim byd mwy na siom. Wnaeth e ddim fy niweidio'n ofnadwy. Gwnaeth ambell ffrind ymbellhau am nad o'n nhw eisiau i bobl feddwl falle eu bod nhw'n hoyw hefyd. Ac fe deimlais i'r golled. Ond fe ddes i drosti.

Ond gwnaeth rai pethau frifo go iawn.

Sôn 'mod i'n troi stumog. 'Mod i wedi dwyn embaras a chywilydd. A rhai'n datgan nad oedden nhw am i fi fod yn rhan o'u bywydau bellach.

Roedd hynny'n brifo. Ac yn sioc. Doeddwn i ddim wedi disgwyl y byddai pawb yn hapus. Ond roeddwn i wedi ryw hanner berswadio fy hun y byddai rhai'n falch drosta i, rywsut, 'mod i'n gallu bod yn onest o'r diwedd. Yn edmygu fy newrder, hyd yn oed, mewn cyfnod pan o'dd AIDS ar ei anterth ac yn rhoi esgus cyfleus i bobol fwrw eu cas yn gwbl agored ar bobl hoyw.

Ond beth frifodd fwyaf oedd y rhybudd bod RHAID i fi ailfeddwl am y ffordd roeddwn i'n byw — os oeddwn i am osgoi dyfodol unig, heb wraig a phlant a theulu. Oeddwn i wir eisiau gorffen fy nyddiau fel hen lanc trist heb neb na dim yn poeni amdana i? Achos dyna oedd yn digwydd i bobl fel fi — tase AIDS yn gadael i fi fyw'n ddigon hir i fod yn hen lanc, hynny yw.

Hwnnw oedd yr ymateb wnaeth fy llorio i. Doeddwn i ddim wedi ystyried y byddai fy mywyd yn cael ei fychanu cymaint — ac y byddwn yn troi'n gymeriad trasig oedd â dim byd o'i flaen, ond blynyddoedd o unigrwydd.

A phan oeddwn i'n sgwrsio gyda ti yn y caffi 'na yng nghanol y dre, ddegawd a hanner wedi'r dod mas mawr, daeth y cyfan nôl yn don - nid o boen - ond o dristwch. Ac er bod pawb pwysig wedi dod i dderbyn, erbyn i ti gamu i 'mywyd i, na fyddai newid arna i fyth, roedd yr ymateb cychwynnol hwnnw'n dal i frifo. Ac fe sylweddolais cymaint roedd yr ofn hwnnw roedden nhw wedi'i blannu ynof i — y byddwn i'n gorffen fy nyddiau'n hen ddyn unig — wedi effeithio ar fy enaid a fy ysbryd am y degawd a hanner rhwng dod mas a chwrdd â ti.

Ac, o, mor braf oedd gwybod bod y dyddiau — blynyddoedd — hynny o boeni am farw'n unig wedi mynd. Doedd neb yn y byd yn llai unig na fi, yn hel atgofion yn y caffi yn y dre ar y prynhawn heulog hwnnw. Ddegawd a hanner ar ôl dod mas, roedd hen fwgan unigrwydd wedi llwyr ddiflannu.

Dylwn i fod wedi diolch i ti, wrth gwrs. Ond dwi ddim yn credu i fi wneud. Roeddet ti yn fy mywyd i. Roeddwn i'n gyflawn o'r diwedd. Ac roedd y cariad rhyngon ni am bara am byth. Fyddwn i fyth yn unig eto. Dyna sut oedd hi, o'r diwedd. A dyna sut byddai hi.

Ac, ie, dyna'n wir sut buodd hi am dair blynedd bron.

Tan i ti farw cyn cyrraedd dy 30 oed.

Feddyliais i ddim amdana i fy hun am flynyddoedd wedi hynny, heblaw am fy nghasáu fy hun am beidio â gallu dy achub di ac am fy mod i'n fyw a thithau wedi marw. Doeddwn i ddim yn malio digon amdana i fy hun i boeni am bethau bach fel unigrwydd. Yr unig beth oedd yn fy mhoeni oedd yr hyn roeddet ti wedi'i golli — dy fywyd. Beth oedd ryw dipyn o unigrwydd gen i wrth ochr hynny?

Aeth degawd arall heibio cyn i fi hyd yn oed ddechrau derbyn dy fod ti wedi mynd. A dechrau meddwl pa ddyfodol oedd o 'mlaen i.

A dyma'r hen fwgan — unigrwydd — yn dychwelyd. A'r rhybudd 'na, ddegawdau yn ôl, mai fel hyn y byddai pethau i fi yn y pendraw yn clochdar yn fy nghlustiau. Roedden nhw'n iawn, wedi'r cwbl. Dyma fi, yn hen lanc trist heb neb na dim yn poeni amdana i. Ar fy mhen fy hun. Yn unig.

Ond yn raddol bach, dechreuodd pethau newid. Dechreuodd yr atgofion am y diwrnod erchyll pan ddaeth dy fywyd i ben gilio. Dechreuodd yr euogrwydd bylu. Dechreuodd y tristwch fod yn llai affwysol, yn llai hollbresennol.

A daeth dy wên yn ôl. Dy lais. Dy gyfeillgarwch. Dy gariad. Dy bresenoldeb. Dy fywyd. Mewn atgof, ie. Ond fe ddaethon nhw nôl.

A phan fo pangau unigrwydd yn bygwth brathu, y cyfan sydd angen i fi ei wneud nawr yw cofio'r sgwrs yn y caffi yng nghanol y dre — a degau o rai eraill tebyg — a mwynhau eu hail-fyw'n y cof.

Rwy'n gwybod, erbyn hyn, bod y rhybudd mai diwedd unig iawn fyddai i 'mywyd i yn gwbl anghywir.

Achos mae cariad yn para. A'r atgof ohono'n drech nag unigrwydd.

Wyt ti'n cofio'r sgwrs 'na gaethon ni yn y caffi yng nghanol y dre, ugain mlynedd yn ôl, pan oeddet ti am wybod sut brofiad fuodd 'dod mas' i fi?

Wyt siŵr, yn union fel rydw i.

Gyda gwên.

A diolchgarwch.

Dwi Isho Mwy

Goleuni gwelw diwedd dydd stormus ar draeth anghysbell. PROSSER ar ei ben ei hun yng nghanol y gofod. Yn gwylio o'r cysgodion, mae IOLO MORGANWG ar un ochr, a'r ORSEDD (ARCHIE, MEISTRES Y GWISGOEDD a FFERAT WERDD) yr ochr arall.

Mae'r gân yn dyner, yn fach ac ansicr, ond yn tyfu fesul ton, nes ei bod hi'n anferthol.

PROSSER: Sori fod yn hallt,
Ti'n gwbod bo fi'n dallt;
Dy ddewis 'di dy ddewis,
Mewn bydysawd mawr, mae'n ddibwys, a
Dwi'n gwbod ti dy ddyn dy hun.
'Di penderfyniad enbyd ddim yn
Newid
Jest i neud fi'n hapus ...
Pwy ydw i'n meddwl dwi?

Mae yn 'y mhen bob dydd hefyd:
Ca'l gorffan a bod rhydd,
A suddo mewn i rwbath sydd yn syml, sy'n bodoli,
Heb holi am dy ddiben di.
Ca'l gwarad ar y nam a byw'n
Ddiniwad,
Jest i fod yn hapus?
Pwy w't ti'n meddwl ti?

Ti'n gwbod —
Dwi isho ti.
Dwi isho ni.
Dwi isho mwy
Na roddist ti.
Dwi isho mwy:
Dwi isho ti;
Dwi isho arwr
Wrth ymyl fi.

A gresyn gen i sathru ar dy freuddwyd dila di,
Ond 'na i ddim ymddiheuro am roid hyder ynot ti.
'Chos ma' 'na fwy i be da ni na fflach o gig a rhyw,
A 'nes i hyn i gyd i fwy na phrofi bo fi'n fyw.

IOLO: Ond gynnon ni y grym i ddod i'r egin be ni'n hau
ARCHIE: A gynnon ni y grym i newid pob un ddefod gau
PROSSER: A gynnon ni ddyletswydd i bob un sy' ar wahân
Y TRI: I ddangos yn y twllwch, raid i ni fod ar dân

P+ORSEDD Dwi isho ti
ARCHIE: Ydyn ni'n barod?
P+ORSEDD Dwi isho ni
IOLO: Da ni 'mond yn byw unwaith

P+ORSEDD	Dwi isho mwy
	Na roddist ti!
I+A :	Dwi angen mwy!
PAWB::	Dwi isho mwy
PROS:	Dwi i-i-i-i-isho
PAWB:	Dwi isho ti —
ARCHIE:	Dwi isho Cain a dwisho Abal,
	dwisho mwy na heddwch hardd!
IOLO:	A dwisho parch heb fod yn barchus,
	ia, ffyc off, mêt, dwi'n fardd!
PROSS:	A dwisho mwy na sothach glai,
	dwi isho pob tyneryn liw
PAWB:	A dwisho mwy na dwi.
	Dwi'n deutha ti bo fisho byw!
PROSS:	Dwi'n deutha ti bo fisho...

Fflach ola'r machlud yn diflannu.

Tywyllwch.

Mam Mwya Perffaith

BETHAN MARLOW

Mae o'n le *tense* i fod
pan fedri di'm bod *notch* o dan perffaith.
Lle ma hitio perffaith yn *average*
a does 'na'm llwybr ond fyny.
I'r top.
Plant bob tro'n bihafio.
Yn bihafio mor, mor dda
'O mam bach, ma' nhw'n anhygoel'
'Mor arbennig!'
Tair Iaith?
'Ma' nhw'n *siarad* Cymraeg? Yn siarad *Cymraeg*?!'

'Ti'n gneud joban mor dda.'

Y rhyddhad o glwad y geiria 'na,
yn rhoi caniatâd i fi anadlu allan, am jysd
hannar eiliad, dwi'n ysgafn,
dwi 'di neud o'n iawn
a wedyn ma' nghorff i'n llawn,
yn barod eto,
yn paratoi
i lwyddo a bod yn berffaith.

Dwisio sibrwd,
'Dwi'n *knackered*'...
...ond na.

Bydd yn *brilliant*.
Bydd yn wych.
Bydd yn well na gwych.
Bydd yn gariadus.

Yn wirion o ffyni.
Paid â meiddio gwegian dan y pwysa —
ti'n gry', y lesbo.
Chdi o'dd isio hyn so ma' raid i chdi licio
bob blydi eiliad
o'r sgrechian a'r diffyg cwsg a'r chwdu a'r ffitian
a'r dwi'm yn gwbod sud i watchiad ar ôl chdi!

Paid â ffwcio hyn fyny.
Ti'n lwcus i ga'l o, *y dyke*.

Ydw i'n ffwcio nhw fyny?
Ydy nhw'n ... normal?
Fydda nhw'n iawn?
Yn ysgol, ydy nhw ddigon cŵl
a cry' a tyff i *survive*-io?

Ma babis fi'n sdopio sgrechian.
Unwaith ma' nhw'n gorweddian
ar fy mron i ac yn snyglan
a sugno i deimlo cysur
a Cartra'
a Cariad
a Mam.
Mae o'n teimlo fatha heddwch. Darn bychan ohono fo eniwe.

Ond dydi'r siarad byth yn sdopio.
Ma' nhw'n popio
fyny o hyd, yn drilio mewn i mhen i
mor frwnt â chyllall fara *spiky*.
Yn rwbio yn erbyn y croen calad tan mae o'n rhwygo drw'r canol

heb unrhyw fath o sori.
'Dydi cwîars ddim yn haeddu bod yn rieni —
Newch chi, cwîars, ffwcio'ch plant fyny —
Ma' nhw angan tad!
Ma' nhw angan dyn go iawn!
Da chi'n iwsio nhw fatha rhyw *sandwich board* i'ch *politics* chi!
Di o'm yn naturiol!
Tyfwch fyny!
Ddim blydi hobi ydi o achos bo chi'n bored o neud petha ... cwîar.
Sgynno chi'm syniad sud i fod yn fam!'

Da chi'n iawn.
Sgin i'm syniad be dwi'n neud.
Ma plant fi'n mynd i gwely withia a ma' nhw angan bàth ond
sgin i'm mynadd rhedag rownd tŷ yn trïo dal u cyrff bach gwlyb
nhw so dwi'n jysd lluchio nhw fewn i gwely, yn ogla o halan a
haul.
Dwi'n gada'l nhw watchiad teli ar ddydd Sadwrn fel bo fi a
'ngwraig yn gallu aros yn gwely i siarad a chwerthin a swshian a
sipian dau, weithia tri panad.
Nes i anghofio neud bocs bwyd ysgol iddyn nhw un tro
Ma' mab fi'n casglu rhegfeydd,
ma merch fi'n licio gneud moonies.
Dwi weithia'n chwythu top achos fedra i'm handlo'r *meltdowns*
a'r *tantrums* am y ffaith bo fi 'di roi'r cig ar yr ochor rong o'r
ffocin reis!

Ydw i'n fam go iawn?
Dwmbo
Ond paid â dangos hynna, cau dy geg.
Paid â meiddio meddwl o hyd 'n oed.
Ma' raid i chdi sefyll yna'n hapus
yn gwenu yn y gola
Achos ma' 'na genedlaetha cwîar 'di cwffio
i chdi ga'l yr hawl i fod yma.
Yn lle cuddiad tu ôl i ddrysa,
yn cogio bod yn ffrindia,
bydd yn berffaith,
bydd yn brilliant,
bydd yn wych.
NAAAAA!
Gad fi fethu.
Gad fi fod yn *crap*.
Gad fi fod yn fam llai na perffaith!
Gad fi fyw.

CARYL BRYN

Wyt ti'n cofio?

Wyt ti'n cofio'r noson honno
pan oedd y sêr 'di hel yn un
i 'leuo'r lawnt lle'r oeddan ni'n
arfer gorfadd yno'n chwil
yn chwalu penna'n gilydd
â geiria gwag,
caneuon gwael
a'n chwerthin bach ni'n dau
yn chwarae rhwng y brwyn brau
mor swynol wrth i'th lygaid gau?

Ysbrydion

LEWIS OWEN

Cysgod yw'r lloches
a chysgod yw'r carchar,
nid byw na marw
na pherthyn i'r Ddaear.

Ysbryd wyt yn llusgo dy dristwch
ar hyd llwybr calongaledwch.
Ysbryd yn llechu ar draws y tŷ,
â neb i'w dychryn ond ti dy hun.

Yn nyfnder maith llyn Afagddu,
gwelir pob gobaith mân yn boddi.
Gwaed du yw'r foddfa oer
dan adlewyrchiad llym y lloer.

Ym mhurdan llydd a lledd mae'r galon
yn canu beddgerdd yr ysbrydion.
Atseiniau'r hen emynau tristion:
'Pa sancteiddrwydd sydd mewn cysgodion?'

IWAN KELLETT

Ail-fyw

A weli di flodau'r eithin acw?
Blew y grug gerbron,
lle troediodd ef y creigiau garw
ac y pigodd arno droeon?
Does hoel na chraith na sathriad
ar feddal bridd y mynydd
na chof am hwn a'i gymeriad
ddaeth yma, unwaith, beunydd.
Do, hwyliodd hwn yn fawr un nos,
y machlud yno'n glir
ar gefn ei ben 'rôl hir ymaros,
a'i gysgod ar ei frodir.

Aeth lawr yn araf
wrthi iddi nosi,
yn oeri'n aeaf
a'i gnawd yn berwi.
Taflodd glogyn,
plannodd hadyn
i fod
yn fo ei hun.

Heno'n wanwyn einioes,
gwêl fwy o'r byd
na welodd ei gynnoes
led ei fywyd.

Gloywach yw'r eithin draw
a mwynach sŵn y lli,
bro harddach sydd yn las islaw
am mai fo, bellach, yw myfi.

Cyfeiriadau

Cranogwen (Sarah Jane Rees), 'Fy Ffrynd', *Caniadau Cranogwen*
(Dolgellau: Robert Olive Rees, 1870), t. 73.

Aled Islwyn, 'Dal', *Unigolion, Unigeddau* (Llandysul: Gomer, 1994), tt. 108-110.

Cyfieithwyd cerdd wreiddiol Durre Shahwar, 'Afterglow', i'r Gymraeg, 'Ôl-dywyniad',
gan Gareth Evans-Jones.

Dafydd James, *Llwyth* (Caerdydd: Sherman Cymru, 2010), tt. 61-63.

Megan Angharad Hunter, 'Fel Adenydd' yn Gareth Evans-Jones (gol.), *Can Curiad: Cant o
straeon bychain bach am fywyd a chariad gan ugain awdur* (Caernarfon: Gwasg y Bwthyn,
2021), tt. 67-68.

Ciarán Eynon, 'Rhusiais rhagddo' a 'Pallu'n sydyn' o'r dilyniant 'Diolch', cerddi buddugol y
Gadair, Eisteddfod yr Urdd Sir Ddinbych, 2022.

E. Prosser Rhys, 'Atgof', yn J. M. Edwards (gol.), *Cerddi Prosser Rhys*
(Dinbych: Gwasg Gee, 1950), tt. 31-35.

John Sam Jones, *Y Daith Ydi Adra: Stori Gŵr ar y Ffin*, cyfieithiad Sian Northey, (Aberteifi:
Parthian, 2021), tt. 87-91, 200.

Taylor Edmonds, 'In Burger King we don't eat', *Black Teeth (*Talgarreg: Broken Sleep Books,
2022), t. 22 . Cyfieithiad Cymraeg Gareth Evans-Jones.

Roger Williams, 'Cyw', *Nos Sadwrn o Hyd & Cyw* (Caerdydd: Joio, 2019), tt. 1-5.

Caryl Bryn, 'Wyt ti'n cofio?', *Hwn ydy'r llais, tybad?*
(Caernarfon: Cyhoeddiadau'r Stamp, 2019), t. 28.